LA ARGENTINA
IMPERIAL

Diseño de tapa: María L. de Chimondeguy / Isabel Rodrigué

DANIEL LARRIQUETA

LA ARGENTINA
IMPERIAL

EDITORIAL SUDAMERICANA
BUENOS AIRES

IMPRESO EN LA ARGENTINA

Queda hecho el depósito
que previene la ley 11723
© *1996 Editorial Sudamericana S.A.,*
Humberto I° 531, Buenos Aires.

ISBN 950-07-1203-2

Prólogo
"La historia es explicación"

La Argentina es un sistema formado por dos estructuras. El aserto es neto y seco. Para llegar a una fórmula tan despojada he debido rumiar mis ideas durante dieciocho años y escribir dos libros. Pero las consecuencias que derivan de tan escueta sentencia son riquísimas, fecundantes. Creo que es una partícula de pensamiento argentino que aunque parezca diminuta tiene valor de clave.

Las dos estructuras integrantes de la sociedad argentina son descubrimiento colectivo y antiguo. Los protagonistas de la Independencia y los precursores de la organización nacional ya conocían la existencia del "otro" y sentían el desafío de inventar una política para aniquilarlo, integrarlo o neutralizarlo. Esto, tanto de un lado como del contrario.

Alberdi y Sarmiento, dos hombres de linajuda raíz indiana pero convertidos a la modernidad "ilustrada", nos han dejado muchos testimonios de su mirada bicolor, conscientemente bicolor. La pasión modernizante y "civilizadora" de estos dos protagonistas se entiende mejor si se recuerda que por sus orígenes conocían muy bien no sólo los defectos sino también la persistencia de esa cultura, la "americana", la indiana, la tucumanesa*, la antiliberal, la conservadora. En sus escritos ya denuncian, con cabal conciencia, el accionar de las dos estructuras.

En el siglo XIX y en la mayor parte de éste, todo el pensamiento argentino, y el pensamiento político en particular, ha lidiado con la cuestión de las dos estructuras como un padecimiento. La doble existencia estaba siempre presente, pero cada uno miraba el par desde su costado, quejándose o combatiendo al otro. Y ha sido frecuente que se nos planteasen opciones de aspecto existencial: ¿cuál es la música popular argentina, el tango o el folklore?

---

* Usamos esta voz (tucumanés/sa) para identificar lo relativo a la antigua provincia del Tucumán, que luego se fraccionó en las actuales provincias argentinas de Jujuy, Salta, Tucumán, Santiago del Estero, Catamarca, La Rioja y Córdoba.

La doble identidad nos ha acompañado siempre, en todos los terrenos. Entonces, ¿para qué escribo estos libros?

La Historia es la ciencia del tiempo. Pero el tiempo no es un material inerte; por su solo transcurso va produciendo hechos nuevos. La persistencia de dos estructuras antitéticas, autorreferentes y agresivas, libradas a su propia suerte desde el fin del tutelaje español y ocupando un espacio acotado y común durante casi doscientos años, empieza a ser un resultado histórico en sí mismo. Hoy debemos comprobar y aceptar que esas dos estructuras no se aniquilaron, que no se partió el espacio común y que tampoco se emulsionaron hasta perder cada una su identidad. O sea que se alcanzó un modo de convivencia, más aún, de interacción. Esa convivencia y esa interacción son el *sistema* argentino. Y algo más, son la Argentina misma.

¿Pudimos haber sido de otra manera? No. Seríamos otra cosa. Al norte de la Argentina vive una nación que recibió la herencia peruano-tucumanesa en estado puro y ha formado con ella su identidad, Bolivia. Al este vive otra que es hija exclusiva de la cultura rioplatense y atlántica, el Uruguay. Y sucede que nosotros no somos una mezcla de Bolivia y Uruguay, sino un fruto de la interacción de esas dos culturas a lo largo de mucho tiempo. En todo caso —y para seguir con el juego de las analogías, que es siempre divertido y peligroso— nosotros hemos aprendido a ser algo nuevo, a partir de aquellos elementos iniciales. Éste es nuestro secreto nacional, ésta es nuestra identidad, nada menos.

Se me dirá que estas reflexiones tan distendidas sólo las podía hacer un hombre de mi tiempo, de estos finales del siglo XX cuando la Argentina de las dos estructuras parece poder vivir en paz consigo misma. Claro que sí.

Pero yo empecé a trabajar en estas tesis en 1978, buscando explicar, justamente, por qué la Argentina *no* podía vivir en paz y marchaba camino de la catástrofe. ¿Qué es verdad, lo de 1978 o lo de 1996? Desde el punto de vista de las estructuras, es lo mismo, porque dieciocho años es nada en términos de cambios de largo plazo. Lo que no es lo mismo es lo que articula esas dos estructuras, el *sistema*. El sistema, la interacción de las dos estructuras, trabajaba en 1978 contra su consolidación. En l996 el sistema funciona hacia la convergencia, ha cambiado de sentido. La interacción es positiva.

Lo diferente entre 1978 y 1996 es la democracia. Lo que define la orientación hacia la convergencia o hacia el estallido del sistema es la democracia por ser el único modo de organización política capaz de incluir las diferencias y tolerar y hasta fomentar los cambios, la interacción. Sólo cuando la dirigencia pudo consensuar y establecer una organización democrática de la sociedad, la larga guerra entre las dos estructuras que ensangrentó nuestro siglo XIX dio paso a un estilo convivencial y habilitó un camino de convergencia de largo plazo. Ese pacto y esa normativa están legislados en lo que se llama, no sin razón, la parte "pétrea" de la Constitución de 1853.

La afirmación precedente es fortísima. Porque implica sostener que la deformación o la interrupción de la democracia invierte el sentido del sistema, volviéndolo divergente, lo que implica, a mediano plazo, destruir la Argentina. Por lo mismo que soy un hombre de mi tiempo y he vivido con los ojos abiertos en esta segunda mitad de nuestro siglo XX, no tengo la menor duda de que es así: si la democracia se deteriora, el sistema argentino se destruye. Y la Argentina es el sistema. No se puede ser hoy tucumanés o rioplatense, no hay un "patriotismo" de las estructuras fundantes.

Lo único que debe diferenciarse es que el sistema argentino tomó de la cultura rioplatense su secreto instrumental: la democracia. Éste es un atributo de la herencia "ilustrada" que se nacionalizó, se hizo obligatorio para todos. Debe reconocerse que el sistema se ha creado y ha logrado sobrevivir hasta aquí —luego de terribles tormentas— cuando se afirma la vida democrática y gracias a ella. Esto significa sostener que para cualquier argentino de hoy, defender la libertad y la democracia ya no es hacer referencia a los fundadores rioplatenses, sino asumir un mandato existencial de nuestra sociedad.

Lo nuevo de mi propuesta es, así, esta concepción sistémica de la civilización argentina y un estudio de las dos estructuras desde el presente, suponiendo que su convergencia es la condición de la nacionalidad. Es más, creo que el *sistema* argentino es la base de nuestra identidad. A diferencia de otros países —la inmensa mayoría de los iberoamericanos— nosotros no tenemos una identidad estructural, sino una identidad sistémica. Ser argentino significa reconocer y vivir en la interacción de las dos estructuras. Y ser patriota es defender e impulsar lo que trabaje para la convergencia de las estructuras. Por eso me parece imposible un patriotismo al margen de la democracia.

Claro está que un largo lapso de convergencia puede modificar esencialmente las estructuras fundadoras. Este sistema interactivo puede convertirse, de a poco, en una nueva estructura, que incluya los restos de las otras dos, superándolas. Lo ideal sería poder decir, cabalmente, que la Argentina es un sistema formado por dos estructuras *que tienden a la convergencia*.

Pero esa convergencia no es automática ni está determinada. Los testimonios del estallido divergente están a menos de veinte años y no podemos perder de vista esa realidad. Creo que una etapa afortunada del sistema argentino recomenzó en 1983,

9

pero su solidez depende de la voluntad de nosotros, sus integrantes, sus participantes, sus pensantes. Pareciera que los grandes dolores del pasado inmediato nos han equipado para ser menos rígidos, menos tremendistas, menos frívolos a la hora de defender la libertad y la democracia. Pero sólo el tiempo, el material noble y privilegiado de la Historia, justamente, nos dirá, hacia adelante, si este recomienzo es el bueno.

Sin embargo, el juego del sistema con sus estructuras debe ser útil en el presente y en el diseño de ese futuro. Ni afirmo ni niego que esta construcción tenga capacidad predictiva, pero estoy seguro de que es imposible descifrar las fuerzas profundas de la sociedad, su política y su cultura sin este recurso. Es en tal sentido que mi trabajo sirve al apotegma de Fernand Braudel: "La historia es explicación".

Había prometido a mis lectores de *La Argentina renegada* desarrollar todo el enfoque en tres libros de elaboración y publicación sucesivas. He modificado ese plan original, porque pienso que lo posible es presentar las dos estructuras y sugerir su articulación, pero dejando todas esas posibilidades casi infinitas a cargo de quienes puedan utilizar la fórmula en sus distintos desarrollos.

O sea que a *La Argentina renegada* que debía explicar los elementos y la proyección al presente de nuestra raíz tucumanesa, acompaña ahora este *La Argentina imperial* que intenta realizar el mismo trabajo para la raíz rioplatense. El tercer libro, que habría recogido algo del sistema y su funcionamiento, lo dejo librado a la creatividad de ustedes, lectores-usuarios. El sistema somos nosotros, somos hoy, somos todo. Y aunque es posible exponer su funcionamiento en un libro, los ejemplos y matices son tantos que la simple selección de unos podría descalificar equivocadamente a los que se descarten...

Este libro es, pues, el estudio de la segunda estructura, la raíz rioplatense de la Argentina. Forzosamente, se transforma en la historia genética de una ciudad, ciudad de entre las pocas elegidas por el destino para ser el polo de un proceso civilizatorio en la escala grande del mundo. Una "ciudad universal" en el sentido que da Domínguez Ortiz a la definición. Es la historia de Buenos Aires.

A medida que lo escribía, fui tomando conciencia del significado capital que Buenos Aires tiene para la civilización argentina. Y me enamoré perdidamente de ella, con la misma ansiedad fragilizante de los enamorados. Me apena que no sepamos honrar sus virtudes históricas y me asusta que bajemos las banderas de su pensamiento liberal, transgresor, insumiso, frente a la sombra amenazante del conservadurismo tucumanés que acampa en los suburbios y predican los censores, con o sin mitra.

También me convencí de que contar su historia, poner en evidencia la larga y azarosa gestación de su personalidad era un modo eficaz de servir a su causa, de proteger su lugar en la herencia argentina. Después de haberme inclinado con sincera admiración ante la herencia tucumanesa, era ahora el tiempo de honrar la civilización rioplatense que la contrapesa.

Como en todo trabajo ensayístico, abordé la cuestión con las grandes líneas preconcebidas, pero abierto a los descubrimientos que me aportase la marcha. El resultado ha sido un viaje por el País de las Maravillas. Declaro que nunca pensé que tantas cosas nuevas se harían presentes, y que he tenido momentos en que las sorpresas me aturdían, lo que acaso se trasluzca, contra mi voluntad ordenadora, en el texto definitivo.

Los mayores de mis descubrimientos inesperados son tres: lo atlántico, lo portugués y lo previrreinal de Buenos Aires. Los tres florecen, además, en el siglo XVIII, la época peor estudiada de nuestra historia porque incomoda al mito de la Independencia, repugna al pensamiento católico enemigo de la Ilustración y escandaliza al nacionalismo criollo que le tiene horror vampírico al sol cosmopolita del Atlántico. Esos tres descubrimientos definen, aproximadamente, el plan del libro.

Lo atlántico está mirado en el "Cuadernillo del mundo" que procura dar un marco internacional a nuestro estudio haciendo centro en la metamorfosis con que España supo digerir los cambios mundiales. Pero en todo el libro está señalado lo esencial: la Argentina existe porque en un momento de la vida de Occidente el Atlántico se volvió protagonista.

Lo portugués es un viaje dentro del viaje. El "Cuadernillo portugués" ocupa la mitad del libro. Ya cuando en *La Argentina renegada* presté atención minuciosa a la frustración portuguesa de Juan de Garay y al nuevo destino de su fundación, Félix Luna me alentó a profundizar la búsqueda. Mi interés por el tema portugués-brasileño brotó a partir de una pregunta fundamental para mi tesis: ¿qué es lo diferente de Buenos Aires dentro del conjunto argentino? Además, la explicación de la política española como una réplica a la iniciativa portuguesa me fue revelada por los estupendos trabajos de Octavio Gil Munilla que cito más adelante.

De mi paso por el gobierno de Raúl Alfonsín recogí otro episodio que me sonó en la cabeza como campanada. Cuando Alfonsín y el presidente Sarney acordaron el recíproco levantamiento de los secretos atómicos, el brillante y prestigioso embajador brasileño en Buenos Aires, Francisco Thompson Flores, me dijo con naturalidad: "Ahora sí que se termina la confrontación de cuatrocientos años". Sentí el extraño privilegio de poder tocar con la punta de mis dedos el nexo entre el pasado y el presente. Y éste era un nexo muy portugués.

He escrito las cien páginas del "Cuadernillo portugués" con la conciencia de hacer un trabajo nuevo en el pensamiento argentino: mirar la historia de Portugal y del Brasil desde el punto de vista del surgimiento de la civilización argentina. Es la única manera de recorrer una raíz y confirmarla aun a riesgo de que pueda resultar algo trabajoso para un lector que sólo busque las grandes líneas. Pero tratándose de temas nuevos para la historiografía argentina me debía y debía a los críticos estas precisiones.

Un subproducto involuntario de ese cuadernillo es que en la nueva necesidad de escribir una "historia de los pueblos del Mercosur" el material y el enfoque que expongo puede resultar de una gran utilidad. En verdad, no concibo otra manera de escribir una historia común que mirando las historias nacionales ya elaboradas desde el nuevo lugar integrador. Sería estúpido e infértil confundir una historia común con la simple suma de las historias nacionales. Hay que rehacerlas explorando los nexos y creo que en ese sentido mi contribución puede valer.

El "Cuadernillo argentino" es el territorio de las conclusiones donde la estructura rioplatense aparece radiografiada. Para el lector que me dé crédito en la demostración de los puntos de partida y sus desarrollos, la lectura de este cuadernillo puede ser suficiente porque en él está la caracterización de lo específicamente argentino.

Allí germina lo previrreinal de Buenos Aires: los rasgos mayores de esta ciudad fueron gestados antes de su capitalidad política. Aunque no está dicho en el texto me parece que surge con claridad que la emergencia de Buenos Aires a mediados del siglo XVIII es uno de los hechos no prenunciados y no planificados de nuestra evolución. La ciudad fue fundada por voluntades concretas, pero se inventó a sí misma, espontáneamente, contingentemente. No era lo habitual en el Imperio español y en el mundo indiano con su sólida y previsora burocracia. Ya en eso Buenos Aires fue distinta.

En los últimos capítulos y en especial en "La República Atlántica" me he adelantado hasta el presente con los nuevos elementos interpretativos. No quería internarme en el funcionamiento del sistema, pero me pareció indispensable develar algunas de las grandes incógnitas del siglo XIX como es el caso de la inmigración europea. Y dejo anotadas ciertas claves para el pentagrama de este final del siglo XX.

Las embajadas de Portugal y del Brasil en la Argentina y el Centro de Estudios Brasileiros de Buenos Aires me han prestado un sólido apoyo en mis búsquedas luso-brasileñas.

El ex embajador de Portugal, brillante escritor y analista político, José Fernandes Fafe, fue mi verdadero tutor en la recorrida por el mundo portugués; me orientó, discutió mis aproximaciones sucesivas, me facilitó material y finalmente me abrió las puertas de los historiadores portugueses contemporáneos. En ese intercambio intenso, José y María Virginia se hicieron mis amigos y me seduce pensar que su amistad es uno de los grandes frutos de este libro.

En octubre de 1995 viajé a Portugal para intercambiar opiniones con los pensadores lusitanos. Tuve el privilegio de una larga conversación con Vitorino Magalhães Godinho, cuyo pensamiento ya me era familiar por sus eminentes libros. Y todas mis expectativas fueron colmadas y aun desbordadas por la erudición, la claridad y el espíritu activísimo del ya veterano maestro.

En ese viaje fui recibido con similar cordialidad y ánimo cooperante por el presidente de la Academia Portuguesa de la Historia, profesor Joaquim Verissimo Serrão, y el director del Archivo Nacional, profesor Jorge Borges de Macedo, máximo biógrafo del marqués de Pombal. En el majestuoso recinto de la Universidad de Coimbra tuve una fecundísima reunión con Luis Ferrand de Almeida, acaso la mayor autoridad en la historia portuguesa del Río de la Plata.

Mis pacientes lectores y críticos fueron María Sáenz Quesada, Nicolás Shumway y Ricardo Lesser, de quienes soy deudor.

Empecé la escritura de este libro en Punta Ballena, Uruguay, en diciembre de 1993, y lo he terminado en Buenos Aires en agosto de 1996.

Cuadernillo del mundo

1. España y su metamorfosis

La Argentina existe porque en un momento de la vida de Occidente el Atlántico se volvió protagonista. ¿Por qué y cuándo?

Octavio Gil Munilla dice que el siglo XVI fue el de las guerras ideológicas, el XVII el de las territoriales y el XVIII el de las económicas. La trilogía es apta para mostrar la evolución del mundo desde el poder de las dinastías al de las naciones y, finalmente, el de los grandes espacios internacionales. Y para explicar, en el marco de la "gran historia", el cambio de prioridades de las potencias que han tenido la iniciativa política en cada uno de esos períodos.

La España superpotencia y el Imperio Universal de Felipe II, Felipe III y Felipe IV se construyeron sobre una matriz ideológica concreta y densa: los "descubridores", conquistadores y colonizadores de América eran portadores de "la cristiandad", considerada por ellos una civilización benemérita con títulos morales y políticos suficientes para extenderse por todo el planeta. La ocupación de América era, pues, una guerra ideológica, de la misma calidad que la batalla de Lepanto, su contemporánea.

Pero aquellos impulsos provocaron cambios colosales. Castellanos y portugueses le dieron a la especie el regalo de un mundo completo, que podía ser recorrido en todos los sentidos, no albergaba ninguno de los monstruos terribles del imaginario antiguo, y ofrecía horizontes inmensos aunque finitos. Y al hacerlo también abrieron a la iniciativa del hombre, y en especial del hombre europeo, tierras, pueblos, culturas, ideas, mares y climas que darían un gigantesco empujón a todas las formas del quehacer humano, desde la economía a las ideas más abstractas.

El impacto que experimentó Europa fue tan grande que todavía estamos demasiado cerca en el tiempo para entenderlo con claridad. Pero es seguro que todo, absolutamente todo, fue revolucionado por estos descubrimientos. Y en el campo de la política —esa vitrina de la inteligencia humana que con razón regocija a los historiadores— las consecuencias no se hicieron esperar. Los europeos colocados en la cúspide del poder debían organizar sus sociedades e impulsar los ajustes económicos y

17

sociales tomando nota de los cambios traídos por los descubrimientos. Era una tarea desconocida y tan delicada que cada gesto se volvía fundador. Pequeños aciertos y errores políticos de los siglos XVI y XVII modificaron la estructura del mundo hasta nosotros. Luis XIV decidía si la América del Norte iba a hablar en inglés o en francés y el fracaso de Felipe IV en reconquistar Portugal transformaba al Río de la Plata en frontera de naciones enemigas...

Los pueblos navegantes, directamente implicados en los descubrimientos, los viajes y las consecuentes sorpresas, tenían las mejores aptitudes para combinar los nuevos hechos con las nuevas acciones. A la cabeza de esa versatilidad estarían Castilla, Portugal, Holanda e Inglaterra, todos países de importancia menor en la Europa del siglo XV.

Los pueblos continentales, habituados a los grandes forcejeos territoriales de Europa y con la vista fija en las fronteras secas, despertarán muy tarde a las transformaciones y perderán gran parte del peso específico que tuvieron en el pasado. Polonia, Turquía y Austria son buenos ejemplos de ese destino.

Mención aparte merecen Francia y España como tales. Francia porque debido a su potencia, su variable condición continental y marítima y su vanguardismo tiene una identidad mixta. España porque de su doble herencia aragonesa y castellana más los compromisos europeos de la casa de Habsburgo también tendrá un pie en cada lado. Francia y España se parecen en esto; no nos debe extrañar verlas actuando juntas cuando llegue el momento.

Cumplido el período original de los viajes y descubrimientos, Europa se atarea en digerir los logros. Podemos ubicar ese período liminar entre los trabajos portugueses de la primera mitad del siglo XV y el éxito español en establecer el cruce regular del Pacífico en la segunda mitad del siglo siguiente: de Enrique el Navegante atacando Ceuta en 1415 hasta Miguel López de Legazpi fundando Manila en 1571. Los viajeros de ese largo siglo y medio no sólo descubren mundos y abren rutas de tierra y mar sino que a su regreso descargan en los puertos de Europa un verdadero alud de datos, riquezas, curiosidades, etnias, vegetales, animales, costumbres, religiones y preguntas. Y todos estos descubrimientos materiales y culturales van de a poco internándose en aquel centro del mundo para sacudir y fertilizar la filosofía, la cosmografía, la teología, la náutica, la medicina, las artes, la nutrición. Hoy podemos columbrar la magnitud de esos ventarrones, pero sus huellas están metidas dentro de la historia de cada disciplina, sin que aun la historiografía mundial haya trazado un balance de conjunto.

Lo que aparece inarticulado para nosotros era invisible para los contemporáneos, porque nadie puede ver el contorno de un huracán cuando está metido en el medio. Pero las cabezas sobresalientes de la época, en todas las especialidades, percibían que los cambios eran colosales. Y de esta percepción nacería la certeza de que el progreso era la ley de la época y acaso la ley de la historia.

La clase política, órgano hipersensible de toda sociedad moderna, enseguida entendió que la digestión de las novedades implicaba una modificación en las relaciones de fuerza en el mismo centro del mundo. Y trabajó para esas modificaciones con la paz y con la guerra.

A mi juicio, dos grandes guerras definen el período de acomodamiento a continuación de los descubrimientos originales. La Europa post-descubrimientos se rediseña a sí misma —y nos prediseña a nosotros— entre la Guerra de los Treinta Años (1618-1648) y la Guerra de la Sucesión de España (1700-1715).

Para lo que a nosotros nos interesa ahora, la diferencia fundamental entre ambos conflictos es que el primero tiene al mundo como escenario, pero a los ajustes territoriales europeos como botín principal, mientras que en la guerra española es del reparto del mundo de que se trata. Los plenipotenciarios que sellaron en la paz de Westfalia (1648) el nuevo equilibrio casi no discutieron de asuntos extraeuropeos, mientras que los negociadores de Utrecht (1713) tuvieron sobre la mesa todo el espacio del mundo.

Entre la paz de 1648 y la muerte de Carlos II que desencadenará la guerra de España en 1700 se definen tres acontecimientos que importan al mundo indiano: España pierde la supremacía mundial, la Europa no atlántica sale de la "gran historia" y la otra Europa descubre su condición peninsular. Estos acontecimientos tejen el gran puente hacia el siglo XVIII; un puente que por primera vez es planetario y tiene uno de sus pilares en el Nuevo Mundo.

España no se derrumba al final de la Guerra de los Treinta Años. Después de sofocar los numerosos alzamientos que sacuden a sus posesiones europeas —entre ellos el de Portugal, que será el único definitivo— Felipe IV confirma su condición de gran estadista y hasta sus derechos al título que le han dado los adulones, "el rey planeta". Se reorganiza el Tesoro, se afirma el gobierno del marqués del Carpio y los ejércitos españoles vuelven a obtener victorias militares notables. Tantas, que el historiador inglés R. A. Stradling ha podido decir: "El 1652 fue un verdadero *annus mirabilis* para las armas españolas, que superaron todos los logros conseguidos desde los años 20. Barcelona-Dunquerque-Casale fue un triple triunfo de una importancia y una magnitud inconcebibles una década antes..."[1].

19

Observemos la ubicación geográfica de las tres victorias mencionadas y veremos aún el ancho manto español tendido desde la rebelde Cataluña a Flandes y a Italia.

Pero si ese repique le permite a Felipe IV llegar a la honrosa Paz de los Pirineos (1659) ya casi no podrá salir de una posición defensiva contra la ascendente Francia y una Inglaterra que tiene claros sus intereses marítimos y lo atractivo del botín americano. En sus últimos años, "el rey planeta" más bien parece un Atlas condenado a sostener sobre los hombros un mundo que lo aplasta.

Lo que nos importa de este proceso es que cambia el rol de España en el mundo. Los tratados de Westfalia, Pirineos y Nimega (1678) van escalonando este repliegue español. Nadie piensa aún que España haya dejado de ser una gran potencia y toda la "intelligenza" y la moda de Europa siguen mirando hacia Madrid, refulgente en el corazón del "siglo de oro". Pero los políticos, sin dejar de echar un vistazo periódico a las iniciativas españolas, han aprendido a mirar hacia Versalles y hacia Londres, donde Luis XIV y el Carlos II inglés hacen ahora juego mayor.

Este proceso de repliegue se hace aun más neto y hasta dramático cuando a la muerte de Felipe IV asume la regencia su viuda, Mariana de Austria (1665), en nombre del futuro y apocado Carlos II. Son éstos los monarcas que deberán reconocer la independencia de Portugal, la pérdida del Franco Condado, numerosas retiradas en Flandes y la ocupación definitiva de Jamaica por los ingleses, en el primer asalto exitoso y significativo a las posesiones indianas. Es una España a reculones en Europa y lábil en el imperio de ultramar. Y a esta nueva situación se adaptarán los españoles del Nuevo Mundo, los indianos, con la dorada autonomía que he llamado "magnífico aislamiento".

La resignación española tiene un sustituto. A partir de Westfalia, Europa inventa el principio del equilibrio, el "balance of power", legitimando la multipolaridad y dándole una doctrina. Es en nombre de este equilibrio que se harán todos los actos políticos y militares de la segunda mitad del siglo XVII. Y es como protector de este equilibrio que Luis XIV pretenderá presentarse en la política europea de sus años triunfales.

Bajo el sombrero de este equilibrio se terminarán las guerras de religión que habían conmovido todo el centro de Europa desde Lutero y Calvino, se afianzarán los espacios nacionales y empezará a declinar la influencia simbólica y política del Papado y del Imperio. Lo interesante es observar que paso a paso, esta doctrina del equilibrio se irá llenando con nuevos contenidos, de modo que al acercarnos al fin del siglo —y de la rama española de los Habsburgo— se estará pensando que el equilibrio europeo sólo puede ser sostenido en el marco de un equilibrio mundial. Los imperios de ultramar empezaban a entrar en las cuentas del balance y ése es el hecho nuevo que tendrán sobre la mesa los negociadores de Utrecht.

Ese desplazamiento hacia lo mundial, que es decir hacia lo Atlántico, tiene una contrapartida: el opacamiento de la Europa del Centro, del Mediterráneo y del Este.

Concluidas las guerras de religión, un riesgo ciclópeo amenaza al corazón de la Europa cristiana. Derrotados en Lepanto el siglo anterior y por eso menos agresivos en el mar, los turcos han continuado presionando sobre las fronteras secas, amenazando o sometiendo a los pueblos cristianos de los Balcanes, de Polonia y Ucrania. Finalmente, en 1683 y bajo el mando del gran visir Kara Mustafá, hombre de enérgico mando y vastas ambiciones militares, un poderoso ejército turco puso sitio a Viena, la capital histórica, potente y refinada del Imperio. Mientras el emperador y su corte dejaban la ciudad temiendo lo peor, el rey de Polonia, Jan Sobieski, al frente de su caballería de elite atacaba a Mustafá por los flancos y la retaguardia y le infligía una completa derrota.

Los polacos salvaron a la Europa cristiana de una verdadera detonación enemiga que apuntaba a Francia, los Países Bajos y el norte de Italia. Jan Sobieski detuvo en Viena la última gran amenaza "bárbara" y con ello permitió un redespliegue mundial de la potencialidad europea. Pero en este cruzamiento de destinos, Turquía, Austria y Polonia misma habían quedado engrampadas y recíprocamente neutralizadas. Si alguna vez pensaron las tres en salir al mar y participar de la nueva aventura de la familia europea, esta salvaguarda del equilibrio en el centro de Europa que les había asignado la historia parecía englutir para siempre sus energías. Con ellas, la Europa del Centro y del Este salía de la gran historia, por lo menos hasta las futuras aventuras napoleónicas.

Es por esta misma época que se completa el desmedro del Mediterráneo como escenario privilegiado de los asuntos mundiales. Con Lepanto (1571) en las costas griegas y la entrada de Felipe II en Lisboa (1580), sobre el Atlántico, el movimiento de traslado hacia el Oeste se define. Cuando el imperio mundial del Gran Rey tiene su capital en Madrid y sus grandes puertos en Sevilla y Lisboa, ya está de espaldas al Mediterráneo y de cara al Atlántico. La construcción comercial de los portugueses y el Estado mundial de los españoles hacen prescindible el tráfico y el espacio del Mediterráneo oriental y ponen todo el peso del mundo en el "mar del Norte". Fernand Braudel fija el año 1650 para tener un hito de desenganche entre el mundo Mediterráneo y "la gran historia".

21

Así se entiende también que aun los pueblos marítimos pero con costas sobre el mar menor tampoco participen de la gran aventura. Ni los turcos, ni los árabes, ni los venecianos, ni los catalanes quedarán habilitados para la aventura atlántica. En España, los puertos del Nuevo Mundo serán los cantábricos y los andaluces. En Francia, el puerto colonial será Bordeaux, en el seno de la Gironde atlántica.

Todos estos episodios suenan a que Europa le echa llave a las puertas que desde el principio de los tiempos la comunicaban con sus regiones orientales y con el inmenso continente asiático. La Europa atlántica se separa de Eurasia y una suerte de cortina de inmovilismo baja desde el Báltico hasta Italia. Pero al girar ciento ochenta grados sobre sus talones para dejar de mirar al gran continente y mirar ahora al gran mar, la Europa atlántica descubre su condición peninsular. El resultado es que los pueblos marítimos, las ideas marítimas, las mentalidades marítimas tomarán la iniciativa en todos los campos. Inglaterra, Holanda y Portugal —en ese orden decreciente— serán actores movedizos en el reparto nuevo de poder. Francia y España deberán rediseñar sus políticas reduciendo sus compromisos continentales para hacer frente a los nuevos desafíos oceánicos.

Francia hará ese tránsito de manera traumática y miope. España —que de persistir en la obsesión europea tenía mucho más que perder, por cierto— necesitará los últimos treinta y cinco años del siglo XVII y un cambio de dinastía, pero asumirá los cambios de manera mucho más neta.

Desde la muerte de Felipe IV (1665) España empieza a replantearse su destino. La debilidad política, los problemas económico-sociales y el esplendor cultural se conjugan en un debate que avanza más rápido que la capacidad de decisión. Muy pronto las mejores cabezas del reino comprenden que los compromisos europeos heredados de la doble pertenencia aragonesa y habsburgo son un peso muerto. Si Madrid ya no está encargada de la supremacía y no puede gozar de sus ventajas, de poco sirven los islotes geopolíticos que aún domina en Europa según la vieja construcción de Carlos V. En cambio, tras un siglo de trabajos colosales, el Nuevo Mundo constituye un patrimonio cuya importancia ya no es un secreto para nadie, tampoco para los enemigos de España y menos aún para las nuevas potencias marítimas.

Pero a pesar de todas esas evidencias, España no puede hacer un tránsito cabal hacia una estrategia marítima. El juego de intereses antiguos —internos y externos—, la poquedad de los medios materiales y el poder de los mandatos dinásticos cierran el camino. Y una y otra vez la reina regente y el pequeño

22

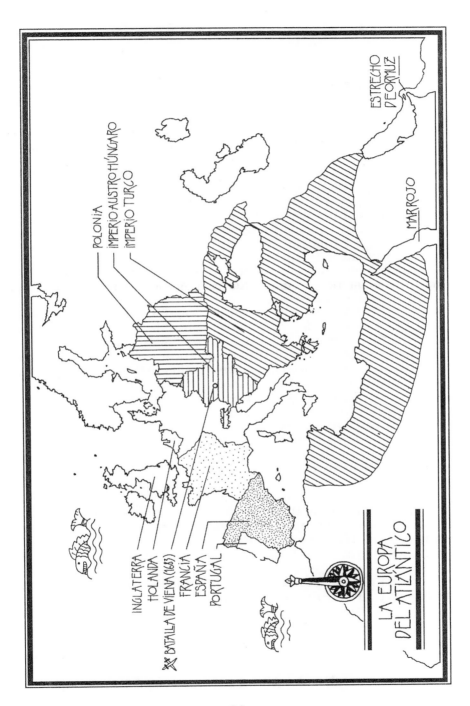

ESTRECHO DE ORMUZ

MARROJO

POLONIA
IMPERIO AUSTRO-HÚNGARO
IMPERIO TURCO

INGLATERRA
HOLANDA
⚔ BATALLA DE VIENA (1683)
FRANCIA
ESPAÑA
PORTUGAL

LA EUROPA
DEL ATLÁNTICO

23

Carlos II vuelven a las guerras europeas sin convicción y sin estrategia. A sus espaldas, los beneméritos indianos y los burócratas imperiales siguen protegiendo el Nuevo Mundo, como si la Hispanidad ya fuese un mundo de dos cabezas.

En la protección del "magnífico aislamiento" del Nuevo Mundo tiene Francia una intervención involuntaria. Leal al principio del equilibrio —del que se considera garante y beneficiario—, el poderoso Luis XIV juega sus posesiones americanas como peones en el gran tablero. Sin alcanzar a definir una verdadera política colonial, Francia calcula que sus territorios de la América del Norte son una valla para el engrandecimiento inglés en esa región, lo que entra dentro del sistema de equilibrio. Y al empeñarse en defenderlos, ofrece una resistencia a la expansión de la primera potencia marítima que protegerá, indirectamente, a los reinos españoles de ultramar. Como dice Vicente Rodríguez Casado, "Mientras la bandera francesa se mantenga enhiesta en Quebec, Montreal y Nueva Orleans, el equilibrio americano permanecerá estable, y el Pacífico continuará su existencia como fondo escénico de la representación política, diplomática y económica".[2]

En esa difícil metamorfosis de España, Inglaterra aprovechará su claridad de objetivos y la nitidez de su estrategia marítima para obtener concesiones que luego serán arborescentes. Así sucede con el Tratado hispano-inglés de Madrid, en 1670. "Tres eran los principios con que los ingleses se presentaban a la negociación del tratado: la libertad de los mares, la ocupación como base de la posesión y la tesis según la cual los actos hostiles fuera de Europa no rompen la paz europea."[3] ¡No se pueden imaginar tres huellas más claras para descifrar la estrategia de fondo! Es especialmente perceptible la mirada inglesa divergente: Europa para los europeos y el mundo para nosotros... España firma. Y si los frutos de ese tratado le son adversos en el corto plazo, cuando bajo la dinastía siguiente la Corona defina una política de potencia marítima, estos mismos principios le serán de utilidad. El tercero, el desenganche entre las hostilidades dentro y fuera de Europa, lo podrá invocar Carlos III en 1776, cuando decide el ataque a la Colonia del Sacramento que permitirá fundar el virreinato del Río de la Plata.

La penúltima escena de la metamorfosis española es la paz de Ryswick (1697). Fue un tratado intraeuropeo, acaso el postrero en su tipo, que firmaron todos los grandes actores en preparación de la escena siguiente. Francia devolvió gran parte de las conquistas militares de los últimos años, buscando crear un clima de diálogo que permitiera a la diplomacia arreglar las posiciones frente al acontecimiento que ya se esperaba: la muerte sin sucesión del último emperador de las Españas, el frágil Carlos II. España también recibió su parte en un hecho simbólico: se le devolvían territorios europeos pensando en su buena voluntad para ceder el gran imperio.

Después de ese tratado, Luis XIV movió sus piezas —al igual que las otras potencias— para el reparto inminente de la herencia española. Y a Francia, que no había logrado imaginar una política marítima como estrategia autónoma, le pareció de poco costo un reparto del imperio español de ultramar con tal de afianzar sus posiciones europeas. De esta idea se tomará la lúcida Inglaterra para pretender, durante todo el curso de la subsiguiente Guerra de Sucesión de España, separar a las Indias de la Corona de Madrid. Aquí podemos ver actuando las dos concepciones. Entre ambas quedará aprisionada España, hasta que el nuevo rey Felipe V asuma con sorprendente energía la visión de una España poco europea y muy ultramarina. Pero no nos adelantemos.

La última escena de la metamorfosis —la llegada del nuevo rey y la consecuente guerra hasta los tratados de Utrecht— tiene un prólogo patético pero con destellos de grandeza. El 1º de noviembre de 1700 moría Carlos II, el último rey Habsburgo de las Españas, sin haber cumplido aún los cuarenta años, sin haber podido procrear y habiendo sido testigo de la codicia con que los otros reyes europeos discutían su herencia en los últimos días de su vida. Pero en el lecho de muerte, y contrariando la fama de su debilidad, testó contra las ambiciones ajenas, dejando todos sus reinos, intactos y en un solo bloque, al duque de Anjou, nieto de Luis XIV y de la infanta española María Teresa, su media hermana. Sería Felipe, el quinto de su nombre.

El muchacho francés recibía la Corona de lo que era todavía una gran potencia. Sólo en Europa sus posesiones incluían la actual España, la actual Bélgica y la mayor parte de Italia. Y más allá del mar, aparte de algunas plazas marroquíes, los magníficos reinos de Indias, desde América hasta Filipinas; reinos que habían sido el motor económico de la poderosa expansión europea del siglo XVI y los primeros años del XVII, cuya opulencia actual era bastante bien conocida por las grandes potencias contrabandistas, y que seguían proveyendo la moneda universal, los pesos de plata española que lubricaban gran parte del comercio mundial, hasta internarse en los caminos de la China.

A pesar del testamento categórico de Carlos II, de la protección del gran abuelo Luis XIV y de la rápida aceptación por los españoles mismos de todos los continentes, la instalación de Felipe V no sería incruenta. Excusas o realidades, lo cierto es que las otras potencias cuestionaron la unificación en las manos de la Casa de Borbón de las Coronas de Francia, España y sus dependencias. Más aún cuando Luis XIV, en el cenit de su grandeza, hizo gestos desembozados de autoridad imperial, desmereciendo la autonomía del nieto y dando pie a las sospechas de unificación de hecho.

Había mucho en juego. Para los políticos europeos que aún pensaban en términos dinásticos —cuyos campeones eran los Habsburgo de Austria— la concentración de poder en una "casa" era una amenaza al equilibrio general. Para quienes ya advertían el despuntar de las prioridades nacionales —en particular las potencias marítimas— no podía perderse la ocasión para un reparto del espacio económico español. Una glosa sistemática de este aspecto la ha hecho Luis Ferrand de Almeida en su tesis doctoral sobre la Colonia del Sacramento. Allí aparecen los reinos italianos como nudos del comercio europeo, con una verdadera placa giratoria en Milán para la economía continental y otra en la Italia del Sur para los negocios con el Levante. A ello, el historiador portugués agrega los otros dos elementos mayores: las Indias como demandantes de toda clase de provisiones europeas y la moneda española como moneda internacional. Inglaterra, Holanda, Francia y Portugal estaban interesados en este aspecto no siempre bien sopesado de la herencia. Ferrand reproduce las palabras de Luis XIV a M. Amelot, su embajador en España, ya en plena Guerra de Sucesión: "Como el principal objeto de la guerra presente es el del comercio con las Indias y las riquezas que ellas producen...".

Si se suman los problemas dinásticos, políticos y económicos se tiene enseguida una explicación suficiente de esta guerra por el despiece de la herencia española que comprometió a toda Europa durante más de diez años de encarnizados combates. Dice Ferrand: "Dominio de los Países Bajos, de Italia y del Mediterráneo occidental; comercio de Levante, de España y de la América española —todo eso, en mayor o menor escala, sería puesto en juego por la muerte de Carlos II sin descendencia. (...) Para todas las potencias del occidente europeo, desde Alemania a Portugal, la solución del problema tenía realmente capital importancia".[4]

Felipe V entró en España de inmediato, como un príncipe francés acompañado por sus asesores, tributario de los diseños geopolíticos del gran abuelo. Y enseguida fue jurado y aceptado por Castilla y las Indias. El Estado Universal español, todavía capitaneado por los "políticos periféricos", todos leales a los intereses de Madrid, se alineó férreamente tras el nuevo monarca. Y cuando esa sucesión fue cuestionada por el otro pretendiente, el archiduque Carlos de Austria, el tembladeral sólo se instaló en Europa, porque nuestro mundo indiano formaba un solo bloque de lealtad a la nueva dinastía Borbón. No era una elección, era una continuidad.

Mientras Francia sostenía a Felipe, el imperio austríaco, Inglaterra y Holanda se alinearon con el archiduque y en esta alianza había incongruencias que pronto se manifestaron, porque mientras los imperiales se empeñaban en los intereses dinásticos y en las pequeñas parcelas europeas, Inglaterra y Holanda se interesaban en el despiece del imperio español de ultramar. A este último grupo se unió luego Portugal, definitivamente ganado para la causa inglesa.

Felipe V se hispanizó rápidamente. Y asumió el último acto de la metamorfosis que España venía realizando. Sintiéndose en el trono de Madrid por derecho propio, jurado y apoyado por sus nuevos conciudadanos de ambos mundos —con excepción de los catalanes, que pelearán por el archiduque—, desafiando incluso la política de su abuelo, Felipe eligió, por fin, la estrategia marítima. Y aceptó pagar los platos rotos con las disputadas posesiones europeas a cambio de conservar intacta la España metropolitana y los reinos de ultramar. Se acababa la obsesión dinástica de los Habsburgo y se posponían los derechos sobre Italia heredados de Aragón. En su momento de mayor debilidad, en su punto de inflexión, la España de Felipe V había resuelto ser sólo España e Indias, según el título premonitorio de Felipe II.

Al elegir a Felipe y desechar al archiduque Carlos, España se lanzaba al mar. Y se comprometía a jugarse en el Atlántico en competencia abierta con sus adversarios marítimos, Inglaterra, Holanda y Portugal. Era la alternativa más audaz. La España "decadente" no tuvo miedo de asumirla.

Con esta decisión España no sólo optó por un destino, sino que eligió la modernidad. Había dejado de ser una gran potencia europea con la esperanza de ser una potencia ultramarina y en este sentido se embarcaba francamente en la nueva ley del mundo, la construcción de grandes espacios económicos y políticos. En lugar del tránsito escalonado de la monarquía dinástica a la monarquía nacional, estaba haciendo el salto directo hacia el espacio intercontinental. De ello se resentirá la formación de la nación española europea, pero se beneficiará la consolidación de la Hispanidad como civilización.

Cuando el fragor de la guerra que debilita a todos los contendientes deja paso a las negociaciones que culminarán en los tratados de Utrecht, Felipe V ya no es el nieto de Francia, sino el monarca hispano que negocia con las otras potencias europeas. Y el rey ya sabe que su reserva de potencia está en las Indias, que pasarán a ser protagonistas de las negociaciones. Así, de la mano del rey español —y por cierto de las potencias marítimas mismas— entra en el nuevo equilibrio la visión de un mundo mucho más ancho que la Europa inicial.

Sólo en la estela de ese desplazamiento del centro del mundo hacia el Atlántico se puede entender el nuevo protagonismo del Río de la Plata. Bien mirada, era una región lejana y pobre, débilmente poblada y cuya existencia era casi un subproducto del deficiente funcionamiento de los aparatos estatales del imperio español y del portugués. En el mejor de los casos, una vez rejuvenecida España el país platino debía volver a ser la frontera entre dos reinos adversarios y con intereses contrapuestos, como enseguida de la independencia portuguesa de 1640.

Pero esos cambios mundiales le dieron otro valor. Mirado desde la geopolítica de Inglaterra o de Holanda, el Río de la Plata era uno de los puntos críticos del control de los espacios marítimos. Se trataba del acceso fluvial a los grandes distritos metalíferos, el de Potosí para la plata y el de Ouro Preto para el oro, y el punto de apoyo para la cada vez más deseada apertura del "mare clausum", el Pacífico español. Lo atractivo no estaba en lo que el Río de la Plata era, sino en lo que podría ser. Empezaba la pelea por el futuro. Es ese futuro el que luego justificará la creación del reino del Río de la Plata y la formación de la nación argentina...

La mejor prueba de este cambio de naturaleza se da en los primeros años de la Guerra de Sucesión. De entrada, Portugal elige la alianza con Francia y Felipe V, y los tres países deben hacer frente a la amenaza de Inglaterra, una amenaza esencialmente naval. Estamos en 1701. "Todavía duraban las negociaciones cuando Luis XIV llamó la atención de su nieto para proveer a la seguridad de Buenos Aires. (...) el rey de Francia consideraba a aquella plaza 'd'une si grande consequence' que juzgó oportuno solicitar a D. Pedro II el auxilio de los portugueses de Colonia en caso de ataque."[5] ¿El Rey Sol preocupado por el destino de una villa insignificante en un rincón del mundo? ¿Y considerando necesario articular la defensa de Buenos Aires con la de Colonia para enfrentar al enemigo? Algo había mudado en el tamaño del destino...

Ese nuevo destino rioplatense se inflamará cuando Portugal decide una reversión de alianzas. El pequeño país europeo, que ya vive de la pujanza brasileña, no puede resistir la presión naval inglesa y no obtiene de las poco marítimas Francia y España las garantías de apoyo en el mar para conservar sus comunicaciones ultramarinas. El 16 de mayo de 1703 Portugal entró en la alianza con el Imperio, Inglaterra y Holanda, con un tratado en el que recibía grandes promesas del pretendiente

28

archiduque Carlos, incluyendo avances en la frontera con la España europea y el reconocimiento definitivo de la soberanía portuguesa sobre la costa norte del Río de la Plata. Era la primera vez que un protagonista de la vida española —un pretendiente acompañado por un ejército de 20.000 hombres, que entraría en Madrid dos veces en el curso de la larga guerra y a quien juraban lealtad los catalanes— reconocía derechos de Portugal sobre las tierras del Plata. En Lisboa, D. Pedro II estaba de parabienes.

La nitidez de ese compromiso confirmaba el nuevo significado de la lucha en el Plata. Y habría de traer, como réplica natural, un equivalente empecinamiento de Felipe V en conservar estos territorios. La respuesta inmediata fue la reconquista española de la Colonia del Sacramento. La respuesta siguiente vino al final de la guerra: al firmarse en el marco de los acuerdos de Utrecht el tratado hispano-portugués, Felipe V, obligado por la presión inglesa a devolver la Colonia, fue muy exigente en evitar toda otra mención al Río de la Plata, dejando a la plaza fuerte lusitana en la condición de una verruga: extraña, malquerida y pasajera...

Cuando los cañones se cansaron, los diplomáticos repartieron el mundo en el conjunto de tratados de Utrecht. Todos reconocían a Felipe V, pero el nuevo rey español cedía Flandes, Italia, la pequeña Menorca y el estratégico Gibraltar. Portugal recuperaba la Colonia y derechos al norte del Amazonas e Inglaterra, luego de devolver sus conquistas de la Florida, se aseguraba la buena voluntad de Madrid para firmar un tratado hispano-inglés que lleva fecha 13 de julio de 1713.

Éste es el punto de mayor debilidad negociadora de España y en él se apoya Inglaterra para exigir el máximo al servicio de su clara estrategia de desarrollo mundial. Y Londres obtiene de Madrid tres concesiones nodales: el principio de la nación más favorecida para protección del comercio inglés, la garantía de que no se admitirán progresos de Francia en América y las piezas maestras para montar una gran maquinaria inglesa de contrabando. Estas piezas nos importan. Son dos: el "Tratado de Asiento" y el "Navío de Permiso".

El "Asiento" creaba un monopolio inglés para la introducción de esclavos negros en Indias y contemplaba, entre otras concesiones puntuales, una autorización expresa para que haya una boca de introducción en Buenos Aires. En sus instrucciones al negociador español, el duque de Osuna, Felipe V procura cerrar esa boquita bonaerense, pero Inglaterra insiste y así tendrá Buenos Aires su Asiento inglés. Ahora sabemos que de los cinco puertos habilitados hasta la cancelación del permiso en

1727 —Buenos Aires, Portobelo, Cartagena, Veracruz y La Habana— el nuestro será el más activo, concentrando por sí solo la mitad de las ventas de esclavos ingleses en América. Por el Río de la Plata, Inglaterra estaba negociando esclavos por plata y cueros con todo el Tucumán, Chile y el Alto Perú. El puerto del lejanísimo Atlántico Sur era más atractivo que los otros puertos centrales del Nuevo Mundo.

El Navío de Permiso era una ruptura formal del monopolio comercial español. Se autorizaba a Inglaterra a enviar "a la América del Sur" —léase, el Río de la Plata— un navío de 500 toneladas por año con mercancías a ser vendidas legalmente. España otorgaba eso. Inglaterra entendía otra cosa: el navío sería un puerto flotante continuamente reabastecido por embarcaciones menores especialmente desde los puertos brasileños, de modo que la introducción total de mercancías multiplicaría muchísimo esas modestas 500 toneladas del tratado.

El Asiento con su tráfico legal y la virtual instalación de una zona franca inglesa en plena Buenos Aires —en la zona de Retiro, en una antigua propiedad de los Riglos comprada al efecto— y el poliducto comercial que tenía forma del Navío de Permiso anclado en el río, construían un enorme mecanismo de contrabando inglés que había elegido como blanco el Río de la Plata. Y nuestra Buenos Aires se convertía en la gran placa giratoria del comercio atlántico hacia el mundo indiano. ¡Quién lo hubiera pensado treinta años antes!

En Utrecht se cambió el mundo y se cambió España. Y al afirmarse el centro del mundo en el Atlántico se alteró geoestratégicamente el valor de los territorios con costas en ese océano. Lo notable es que para que tal afirmación fuese efectiva no hizo falta mucho tiempo, pues la claridad de miras de Inglaterra la hizo avanzar en lo concreto desde el primer momento. España había concluido su metamorfosis, pero no tendría tiempo para el reposo. En su elegida nueva condición de potencia marítima tendría que soportar el acoso inglés desde el primer momento, y la competencia de un remozado y enriquecido Portugal en cada punto de las fronteras comunes. Pero aún pasarían cincuenta años antes de que los reyes Borbón pusieran toda su energía en ultramar.

La nueva dinastía trajo vigor, modernidad y nuevas alianzas sociales. La administración del Estado español fue modificada profundamente, según un esquema cuyas novedades no sacudirán de lleno al mundo indiano hasta las reformas "carolinas", durante el reinado de Carlos III (1759-88) y cuyo análisis no corresponde a este libro. Pero España no podía despegarse completamente y de golpe de su profunda implicación en los asuntos europeos.

Dos destacados ministros de Felipe V, Alberoni y Patiño, dieron impulso eficaz a la reconstrucción de la marina española, pieza central de una estrategia marítima. Pero gran parte de esos recursos fue comprometida en el empeño de la reina Isabel Farnesio de recuperar los reinos italianos que se habían cedido en Utrecht. España pensaba en el mar pero se complicaba aun en el pequeño, el Mediterráneo.

Será menester llegar al reinado de Fernando VI (1745-59), hijo de Felipe V y casado con una Braganza portuguesa, para que este monarca tranquilo y pacifista acepte las sugerencias de su gran ministro, Zenón de Somodevilla, marqués de la Ensenada, quien en 1748 propone dar un impulso especial a la fuerza naval con los ojos puestos en el imperio de ultramar. Y aunque Ensenada pierde el valimiento en 1754, los ecos de su política continúan y serán recuperados por el monarca subsiguiente.

A la muerte de Fernando VI su medio hermano Carlos, entonces rey de Nápoles, es llamado a Madrid; y fuerte de la enorme experiencia de haber reinado durante más de un cuarto de siglo desembarca en Barcelona con el ímpetu de un gran estadista. Con él reaparecerá en el firmamento hispano un rey indiano de la talla de Isabel la Católica y Felipe II. Y con él, finalmente, fructifica en obras concretas, continuas y eficaces la metamorfosis española iniciada medio siglo antes.

Es Carlos III el monarca de Indias, es él el nuevo rey español del Atlántico. Y a él le tocará mirar de contraluz la evolución del Río de la Plata, retomar la iniciativa imperial, comprender las líneas de la dinámica mundial e inventar las soluciones. Inventarnos...

Cuadernillo portugués

2. La gran osadía

Si se mira en un Atlas histórico la evolución de las fronteras y soberanías en Europa desde el siglo XV hasta nuestros días, se puede observar un hecho singular: hay un solo país cuyos límites han permanecido casi fijos durante quinientos años y que no ha estado mezclado en los interminables despieces continentales fuera de su territorio. Es Portugal.

Por los condicionamientos de la geografía, por la idiosincracia de los reinos ibéricos y por las características propias del pueblo lusitano, el viejo Condado Portucalense (1097) alcanzará la formación de su soberanía territorial definitiva antes que ninguna otra nación europea. Puede decirse, incluso, que Portugal es la primera nacionalidad que se afianza y se define en un territorio preciso en la Europa moderna.

Pero esta definición no era inembargable. En toda su frontera terrestre, Portugal limita con una sola otra nación: Castilla, que se volverá España. Y esa nación, surgida casi de los mismos impulsos étnicos, culturales y políticos y, por eso, tan parecida, lo sextuplica en tamaño físico y social. Portugal no limita con España, vive abrazado por ella. Y Portugal no limita con una nación extraña, sino con la nación que más se le parece. Defenderse y diferenciarse de España serán las grandes pasiones del pueblo lusitano.

Pasiones vitales, porque esa única frontera no es un espacio de forcejeos limítrofes donde el país chico pueda temer que el país grande lo aventaje. No. España, heredera del impulso de unificación ibérica que inauguran Isabel de Castilla y Fernando de Aragón, nunca piensa en apocar a Portugal en su beneficio; piensa, simplemente, en deglutirlo. Y esto, hasta tiempos tan recientes como el terror napoleónico.

El pueblo lusitano no tendría, así, más que dos políticas posibles: integrarse a España o enfrentarla en todos los terrenos. Las dos políticas las ensayará Portugal en distintos momentos de estos quinientos años, pero siempre como políticas totales, sin matices. Y es muy provechoso subrayarlo, porque aquí está una clave mayor de la fantástica gesta mundial que españoles y portugueses ponen en marcha con el segundo viaje de Cristóbal Colón al Nuevo Mundo, en 1493, y con el viaje fundador de Vasco da Gama a la India, en 1498. Marcha-

35

rán con un ojo en el horizonte y el otro en el quehacer del vecino.

Fijadas las relaciones con España, Portugal no tiene más frontera abierta que el mar, el mar de sus costas, el Atlántico. Porque ya se sabe que el matrimonio de Isabel y Fernando le dio a la recién nacida España un fornido brazo aragonés para internarse en el Mediterráneo, de modo que tampoco había lugar para los portugueses.

Y así como hemos comprendido que Castilla y Aragón se lanzaron al mar con el impulso guerrero y fundador que habían cultivado en siete siglos de forcejeo con los reinos moros, la misma explicación vale para el impulso portugués. También viajando hacia el sur, guerreando y fundando sobre las comarcas del Poniente ibérico, los lusitanos habían expulsado a sus propios moros hasta ocupar todo el reino de Algarve, la extrema punta sudoccidental de Europa. Y se encontraron, trémulos de energía, con la barrera del mar.

Pero esta epopeya lusitana se había completado más de dos siglos antes de la expulsión definitiva de los moros de la Granada española. La "reconquista" de las tierras portuguesas había requerido dos siglos menos. Y el reino, unificado y seguro, estaba listo para aventurarse en el mar ya en los finales del siglo XIII.

Esta gran ventaja portuguesa acarrea inmensos resultados, potenciados con la precoz unidad política y cultural del reino. Durante todo el siglo XV, Castilla y Aragón seguirán enfrentando la amenaza musulmana, tanto por la presencia del reino moro de Granada como por el vigor de los turcos que en 1453 arrollan las últimas resistencias de Bizancio. Durante todo ese siglo hasta 1479, cuando Fernando hereda de su padre la Corona de Aragón, castellanos y aragoneses vivirán enredados en sus conflictos territoriales y políticos. Amenazados de afuera y desunidos de adentro, castellanos y aragoneses pondrán todas sus energías en la lenta amalgama que sólo culmina en los Reyes Católicos. Y por estas mismas razones, esa amalgama será la de dos reinos desorganizados, pauperizados, inseguros. La unidad política y espiritual de España llegará por lo menos un siglo más tarde que la de Portugal.

Esta asincronía de formación tiene una contrapartida decisiva. El reino lusitano, menor, será precoz, culturalmente homogéneo y jovialmente emprendedor. El reino español, mayor, será más tardío, deberá vivir cuidando su trabajosa unidad, pero sus movimientos tendrán la inercia y la riqueza de medios de una gran potencia. Estas diferencias son nada menos que la matriz para la construcción de los respectivos imperios ultramarinos. Para decirlo en pocas palabras, el portugués será rápido, espontáneo, frágil, y el español será una trepidante máquina política, cerebral y duradera. Por todo eso, como lo he dicho en *La Argentina renegada*, Portugal inventará el comercio mundial, y España, el Estado universal.

Gracias a su largo siglo de ventaja, Portugal se hizo a la vela mientras España se gestaba. En agosto de 1415 atacó y conquistó Ceuta, puerto del norte de Marruecos que le abría las puertas de África y lo sacaba, definitivamente, del encierro europeo. Había empezado la gran odisea. Y con ella empieza la obra y la leyenda del infante Don Enrique, príncipe de la Casa de Avis que dedicará su poder, su patrimonio y su larga vida al sueño de descubrir, conquistar y evangelizar. Entre la conquista de Ceuta y el momento de su muerte, en 1460, "Enrique el Navegante" no se dará reposo. Y la gigantesca estela de su obra se extenderá por toda la costa africana hasta entrar en el golfo de Guinea.

Sus barcos acostan en las Canarias —las Islas Afortunadas de los romanos—, redescubren Madeira (1419) y las Azores (1439) y atacan Tánger. Pero acaso el acontecimiento más promisorio es que en 1434 el escudero del Infante, Gil Eanes, da la vuelta al Cabo Bojador, el agresivo espolón africano de la costa mauritana que los navegantes no habían logrado superar nunca. "Este cabo proyéctase veinticinco millas al occidente de la costa. La violencia de las olas y de las corrientes en su lado norte, los bajíos existentes en las proximidades, la frecuencia de las brumas y neblinas en derredor, la dificultad de regresar para el norte por causa de los vientos predominantes, fueron en conjunto considerados como confirmación de las historias del 'mar de las brumas', como le llamaban los geógrafos árabes, del cual, según la creencia popular, no había posibilidad de regreso."[6] Dice con justicia el gran historiador del imperio portugués, C. R. Boxer: "Este hecho fue, tal vez, la mayor realización del Infante, por cuanto sólo fue posible con una determinación paciente y una disposición de gastar grandes sumas en viajes de los que no se podía esperar una inmediata recompensa".

Salvado el Bojador, el horizonte es todo portugués. Llegan a Río de Oro, doblan el Cabo Blanco, descubren y colonizan las islas de Cabo Verde y se deslizan a la vista de la costa africana en viajes que empiezan a durar meses. Y Don Enrique combina los descubrimientos con los reiterados asaltos a las plazas marroquíes y el progresivo montaje de un gigantesco tráfico de oro y esclavos africanos. El modelo imperial portugués se va perfilando en estos inicios: audacia, pericia, combate y comercio.

La pericia está así descripta por Boxer: "La experiencia adquirida [en los primeros viajes] posibilitóles también la construcción de un nuevo tipo de navío, la carabela latina, que soportaba el viento mejor que cualquier otro navío europeo. La experiencia adquirida por los portugueses en el Atlántico, permitióles también fundar las bases de la moderna ciencia náutica europea. A fines del siglo XV, los mejores navegantes portugueses sabían calcular con bastante precisión su posición en el mar por la combinación de la latitud observada con el cálculo, y poseían excelentes guías prácticas de navegación (derroteros) para la costa occidental africana. Sus principales instrumentos eran la brújula (probablemente de origen chino y conocida por intermedio de los marinos árabes y mediterráneos), el astrolabio y el cuadrante en sus versiones más simples. [...] Pero muchos de los pilotos portugueses de alta mar continuaban confiando, sobre todo, en el conocimiento que tenían de las señales de la Naturaleza ('conhecenças'): el color y la corriente de las aguas, las especies de peces y aves marinas observadas en diferentes latitudes y posiciones, las variedades de algas que encontraban, etc."[7]

Era una yuxtaposición continua de inteligencia y coraje que va formando un cuerpo de sabiduría marina sin igual en el mundo. Durante un largo siglo los portugueses son los dueños incontestables de este conocimiento que su misma aplicación enriquece paso a paso y que va formando una verdadera escuela de navegantes excepcionales. En esas carabelas portuguesas aprende Colón su arte y de ellas saldrán muchos de los mejores pilotos que enarbolarán el pendón de Castilla, como el inmortal Hernando de Magallanes.

Pero esta corriente de sabiduría que cuadrilla los nuevos mares no es espasmódica ni espontaneísta. Si después Portugal tendrá dificultad para pensar su imperio, debe acreditársele que desde el primer momento tuvo la capacidad y la voluntad para pensar su política marítima y la tecnología necesaria. Porque, cuando embarcaban, nada quedaba librado al azar y los pilotos portugueses tenían órdenes y vocación por trazar las mejores cartas náuticas. Y cuando regresaban, todo cuanto hubiesen descubierto y aprendido era anotado, procesado, comparado y guardado como el mayor secreto de Estado de la época. Ya al promediar el siglo XV, Portugal había hecho de la navegación oceánica una política nacional.

Este genio sistemático ponía al pequeño reino a la cabeza de Europa en la aventura del mundo. Pero anunciaba también, simultáneamente, la ventaja intelectual y técnica con que estos europeos se harían presentes ante los pueblos de los otros continentes. El impulso portugués aventajaba a los otros europeos, pero apuntando al corazón de los pueblos asiáticos y africanos. Era el mismo movimiento, adelantado en el punto de partida, fulminante en los puntos de destino.

Dice J. H. Plumb: "Infelizmente para Oriente, los portugueses eran herederos de la destreza técnica largamente acumula-

38

da en la última fase de la Edad Media. Los árabes y los judíos los habían dotado con astrolabios y mapas; el arte de construcción naval fue estimulado por el vasto océano cuyo desafío había provocado la fabricación de navíos que, aunque considerados pesados con los patrones del siglo XVII, eran maravillas de maniobrabilidad; y armados con la mejor artillería producida por Europa llevan la mejor parte contra los juncos y sampanes del Océano Índico. [...] El resultado fue un asalto salvaje y pirático, como el mundo nunca conociera, a los deslumbrantes y ricos imperios orientales..."[8]

No había exploración sin conquista. O sea, que no había descubrimiento.sin combate. Y esto porque la monarquía portuguesa ya había privilegiado, en primer lugar, la soberanía comercial sobre la soberanía territorial. Los criterios de administración y de gobierno de la clase dirigente portuguesa pertenecían a la escuela de venecianos y aragoneses. El reino era más la dependencia territorial, el "hinterland" de dos grandes ciudades comerciales, Lisboa y Oporto, que una modelación territorial minuciosa, como sucedía en los casos de Francia y de Castilla. Y es así que Porgugal no conocerá, ni entonces ni por los tres siglos posteriores, la minuciosa construcción fiscal, militar, educacional, institucional y religiosa con que los Reyes Católicos harían la vertebración de España.

Puede afirmarse entonces que, en la mirada portuguesa, también los descubrimientos y conquistas de ultramar entrarían a formar parte de las dependencias de sus dos ombligos comerciales: quedarían unidas a Lisboa y Oporto por el nexo ágil y laxo de las transacciones mercantiles, apenas sostenidas por la tecnología naval y comercial y el fuego de los cañones. Una metrópoli débil mal podía colonizar un mundo. Pero una metrópoli dinámica bien podía pretender recorrerlo y concatenarlo.

Ése es el rumbo. Y con casi tres siglos andados tenemos una confirmación expresa. En 1746 el virrey de la India, Don Pedro de Almeida, marqués de Castelo-Novo, le dirá al rey D. Juan V: "Este Estado es una república militar y su preservación depende enteramente de nuestras armas en la tierra y en el mar".

La incapacidad de la Corona portuguesa para gobernar los frutos de los descubrimientos dará realce a los méritos personales y a las iniciativas espontáneas. El ritmo desaforado de los viajes y conquistas, sin precedentes en la historia del mundo, hará aun más inasible la posibilidad de sistematizarlos. La pobreza institucional y material del reino dejará libradas las recompensas de sus capitanes a los frutos que cada uno sea capaz de traer a su regreso.

Está naciendo un imperio espontáneo, tal como el eminente historiador brasileño Sergio Buarque de Holanda lo dibuja: "Esa exploración de los trópicos no se verificó, en verdad, por un emprendimiento metódico y racional, no emanó de una voluntad constructora y enérgica: más bien se hizo con descuido y cierto abandono. Diríase, incluso, que se hizo a pesar de sus autores. Pero el reconocimiento de ese hecho no constituye menoscabo a la grandeza del esfuerzo portugués".[9]

Es un esfuerzo de los hombres portugueses, pero no del Estado portugués. Y esta marca de partida, esta fe de bautismo, dará al imperio portugués un rasgo imborrable: su horizontalidad, su parcelamiento, la casi anárquica autonomía de sus capitanes, obispos, mercaderes y exploradores. Rasgo vertebral, rasgo genético, de fortísima presencia en la tierra americana, de significado fundacional en la gran cuenca del Río de la Plata.

Estos portugueses autónomos, corajudos y ambiciosos son "hombres de frontera", tal como los hemos definido para los castellanos en *La Argentina renegada*: "Poseían los atributos del hombre de frontera, la fe religiosa y la mística evangelizadora del cristiano combatiente, la seguridad y el orgullo de una sociedad triunfante, la ideología de que la victoria da derechos, para arriba y para abajo, y el derecho al botín como noble resarcimiento de los esfuerzos". Y en el hombre portugués, el derecho al botín estará doblemente valorizado por la ya mentada incapacidad de la Corona de otorgar otras recompensas que no fueran las logradas con la propia mano.

No debe, pues, sorprendernos la inclemencia y el furor con que truenan los cañones de las carabelas portuguesas cuando embisten los puertos y fortalezas africanas y asiáticas; ni el inmediato empeño de los capitanes triunfadores en asegurarse el lucro económico de su conquista. Y en la Europa del siglo XV ese lucro se llamará oro y esclavos. Después habrá especias, marfiles, porcelanas y sedas, pero circulando cadenciosamente por los carriles portugueses una vez que la conquista se ha consolidado con los recursos masivos y rápidos del tráfico humano y el metal precioso. El capitán descubre, conquista, saquea y comercia; cuatro pasos concatenados, inalterables.

A medida que van desvirgando la costa de África, los portugueses procuran desviar en su provecho el viejo tráfico de oro que desde el centro del continente cruza el Sudán y el Sahara en pausadas caravanas rumbo a las costas del Mediterráneo. Se trata de torcer ese tráfico hacia la costa del golfo de Guinea, lo que irán consiguiendo poco a poco.

Y, mientras tanto, cargarán en los navíos los esclavos de todas las razas que son vencidos en los combates. El monto de este tráfico entre el África mora y negra y Lisboa alcanza proporciones gigantescas. Sólo de esclavos negros, C. R. Boxer calcula que se habrían llevado 150.000 rumbo a Lisboa en los cien años que van de 1450 a 1550.[10] Y en la misma línea Plumb recuerda que en aquel tiempo Portugal era el país de Europa con mayor dotación de esclavos, al punto de que un 10 por ciento de la población lisboeta tenía tal condición. Éste es un hecho extraordinario y de largas consecuencias.

Por lo pronto, hay en nuestros días no pocos autores que subrayan la probabilidad de que al iniciarse la colonización americana Portugal fuese ya una nación fuertemente mestizada con africanos, sin duda como ninguna otra en Europa; esto daría al conquistador portugués una postura mucho más abierta frente a las etnias no europeas.

Además, esta tradición esclavista, no sólo consentida sino incluso valorizada por la sociedad lusitana, viajará con la ética y la ideología de los capitanes portugueses que llegarán muy pronto a las costas del Brasil. La posible esclavitud de nuestros antepasados indígenas, que Castilla prohibirá y condenará desde el primer momento, para el conquistador portugués será un derecho normal e inembargable. De esta diferencia original se nutrirá también gran parte de los conflictos y enfrentamientos entre la América española y la portuguesa, como aquellas incursiones esclavistas de los "bandeirantes" paulistas, que terminarán en francas guerras internacionales. Pero no nos adelantemos.

La audacia, la pericia, el combate y el comercio eran ya los cuatro corceles del carro imperial portugués a la muerte de Enrique el Navegante. Y la osadía lusitana estaba debidamente bendecida por la autoridad del Papa, que en tres bulas sucesivas, las de 1452, 1455 y 1456 legitima, alienta y premia los descubrimientos y conquistas. Por la primera autoriza al rey de Portugal a atacar, conquistar y someter a los sarracenos, paganos y otros descendientes de los enemigos de Cristo, capturar sus bienes y territorios, someterlos a esclavitud perpetua y transferir sus tierras a los reyes de Portugal y sus descendientes. En la segunda, llamada luego "la carta del imperialismo portugués", el Sumo Pontífice pasa revista a todas las exploraciones portuguesas hasta entonces y alienta a la Corona lusitana a proseguir la lucha contra los enemigos de la fe, sometiendo y convirtiendo a los paganos que se encontrasen... ¡entre Marruecos y las Indias! En la tercera, Roma concedía a la Orden de Cristo, fundada en 1319 como continuadora de los Templarios y cuyo gran maestre era el mismo Infante Don Enrique, plenos poderes eclesiásticos sobre las tierras a descubrir y con-

41

quistar; así se fundaba el derecho de Patronato portugués, con medio siglo de anticipación al derecho equivalente que se concederá a los Reyes Católicos.

Con este empuje y estas bendiciones, con los sueños desmesurados que los mismos progresos van sembrando en las mentes de sus capitanes, Portugal va a lanzar la segunda ola de su odisea. Todo está listo a la espera de un nuevo viento de la aventura mundial, en una época en que, como dice Plumb, "la vida era desesperadamente insignificante, la muerte desesperadamente real, la pobreza del mundo tan grande que la lujuria y la riqueza embriagaban la imaginación y enloquecían a los hombres con el deseo de poseerlas". Ese nuevo viento se llamará Don Juan II, "O principe perfeito" que calzará la Corona portuguesa en 1481. ¡Y allá vamos!

En enero de 1482, Diogo de Azambuja, al frente de sus tropas y una lujosa comitiva, desembarcó en la costa africana de Mina para iniciar solemnemente la construcción de la fortaleza de San Jorge. La ceremonia tenía la intención de impresionar a los reyezuelos negros con el boato y el poder del rey de Portugal. La fortaleza estaba destinada a convertirse en una placa giratoria del comercio portugués en África y un trampolín para los descubrimientos hacia el sur. Azambuja iniciaba así la crónica multisecular de la presencia lusitana en la "Costa de Mina", germen del África portuguesa que estaba naciendo.

Enseguida el Príncipe Perfecto reservó para su Corona el monopolio de la importación de oro, esclavos, marfil y especias y la exportación de caballos, tapices, textiles, cobre, cuero y chucherías. Y alentó las nuevas expediciones hacia el Sur, buscando un paso para el oriente con la misma perseverancia que treinta años después pondrían los castellanos en hallar el paso desde el Atlántico hacia Occidente. A mediados de 1487 la expedición de Bartolomeu Dias levó anclas de Lisboa. Y a principios de 1488 el afortunado navegante dobló el Cabo de las Tormentas, que el rey preferirá llamar de Buena Esperanza, y enfiló hacia el Oriente. Dias acababa de circunnavegar el África occidental, descubrir el paso hacia el oriente y entrar triunfalmente en el Océano Índico por donde jamás lo había hecho el hombre, según la memoria de Europa. Había nacido la ruta naval a las Indias; era una ruta portuguesa. Por primera vez naves europeas surcaban el Océano Índico; sería el océano portugués.

La noticia sacudió a Lisboa con su desmesura. Los consejeros reales se dividieron entre los sueños miríficos de "descubrir" la India y encontrar el reino fabuloso del Preste Joao —los cristianos perdidos de África, que no serían otros que los abisinios— y la realidad de un Portugal pequeño y despoblado que bien podía conformarse con lo ya obtenido, lucrativo y accesible. La razón estaba del lado de los conservadores, pero el destino trabajaba para los osados.

Fueron años de conflictos políticos y dinásticos y de hesitaciones estratégicas. Pero mientras tanto la España de Isabel y Fernando estaba llegando a su madurez y el desafío del abrazo español crecía día por día. Y también se había hecho a la mar. En enero de 1492 los reyes españoles entran en Granada y en octubre Cristóbal Colón "llega a las Indias" por occidente. Los dos titanes de la historia de los descubrimientos están frente a frente.

Y las dos Coronas ibéricas, ceñidas por dos negociadores excepcionales, D. Juan de Portugal y D. Fernando de Aragón, tienen que negociar en Roma y en Tordesillas la partición del mundo. Cuando las tratativas se concluyen, las dos Coronas se han vuelto hemisféricas y saben que a la letra de los acuerdos hay que servirla con los actos de posesión. Los enormes recursos de Castilla y la energía de Isabel, "la reina del Nuevo Mundo", redoblan el desafío. Y Portugal recoge el guante; es su sino.

El "Principe Perfeito" murió prematuramente en 1496 y la Corona pasó a su cuñado, Don Manuel, a quien la historia reservaba un traje sin igual. Don Manuel retomó los proyectos descomunales. Y un año después, el inmortal Vasco da Gama se hace a la vela con la orden expresa de circunvalar el África, torcer hacia el oriente, navegar el Índico y conquistar la India. El viaje triunfal se completa y entrado 1498 la expedición está a la vista de Calicut, la gran ciudad comercial de la costa occidental de la India que por primera vez ve navíos europeos enarbolando el pendón lusitano, blanco, con la cruz de Cristo.

Los viajeros portugueses han llegado a la India, la verdadera, y a una ciudad mercantil que puede saciarles todos los sueños de esplendor de su larguísima y durísima travesía. Pero allí también los va a sorprender el omnipresente desafío español. El primer tripulante portugués que desembarca se enfrenta a dos comerciantes tunecinos que le preguntan: "¿Qué diablos os trae por aquí?". Lo inesperado es que la pregunta se la hacen en español, la "lengua de Imperio" de Isabel la Católica, que ya camina más rápido que los descubrimientos...

Es tal vez por esos testimonios de que la competencia entre los dos reinos ibéricos no tiene fronteras, que cuando en julio de 1499 los afortunados viajeros entran de regreso en Lisboa, lo primero que hace el rey D. Manuel es escribir una jubilosa carta de triunfo, con los detalles del descubrimiento ligeramente agrandados, a los Reyes Católicos. Y para que no queden dudas, en la carta que el 28 de agosto de 1499 escribe al cardenal protector de Portugal en Roma, D. Manuel estrena un

43

nuevo título imperial: "Señor de Guinea y de la conquista, navegación y comercio de Etiopía, India, Arabia y Persia".

Portugal recogió el guante y ganó sus derechos al Oriente. Y así, en los comienzos del siglo XVI, se enfrentó a su paradoja histórica, la que aún hoy tratan de descifrar sus pensadores: marginado de la historia de Europa, resultaría un europeo encargado de construir la historia del mundo. De las dos proposiciones de la paradoja, Portugal hará virtud.

Los pueblos ibéricos estaban ocupando el mundo que se habían repartido.

"Puede decirse, realmente, que por la importancia particular que atribuyen al valor propio de la persona humana, a la autonomía de cada uno de los hombres en relación con sus semejantes en el tiempo y en el espacio, deben los españoles y portugueses mucho de su originalidad nacional. Para ellos, el índice del valor de un hombre infiérese, antes que nada, de la medida en que no precise depender de los demás, en que no necesite de nadie, en que se baste. Cada uno es hijo de sí mismo, de su esfuerzo propio, de sus virtudes..." Éste es el perfil que hace Buarque de Holanda de los hombres que abordan las carabelas rumbo al Occidente y al Oriente, desde el Guadalquivir y desde el Tajo.[11]

Pero este núcleo común, esencial para sostener el esfuerzo demencial y llevarlo a buen puerto, se irá recubriendo con las capas sucesivas de la realidad política de ambos países y del caleidoscopio de culturas diferentes que los viajeros encontrarán en sus lugares de destino. Los hombres ibéricos son casi iguales, pero distintas irán siendo las realidades nacionales de España y Portugal. Y muy distinto lo que encontrarán los viajeros en las costas vírgenes del Nuevo Mundo y en las costas de las viejas culturas del África y del Asia.

Por lo pronto, católicos profesantes serán todos los viajeros, pero ya entonces no son iguales las iglesias nacionales de España y Portugal. Isabel ya ha hecho la reforma de la Iglesia española, atándola a la política de la Corona por dos puntas, el Patronato real y las funciones fiscales e ideológicas que se les asignan a obispos y párrocos. En Portugal, en cambio, una Iglesia que todavía arrastra los vicios medievales se sujetará al rey de una manera menos administrativa y más laxa. La Iglesia española es una institución del Estado y los reyes la harán subir a las carabelas desde el primer momento. La Iglesia portuguesa seguirá teniendo un tono de cruzada y se instalará en el imperio como una extensión casi espontánea de la metrópoli.

Estas diferencias ideológicas y administrativas se articularán armoniosamente con los otros aspectos de los descubrimientos. Sólo una Iglesia no reformada y permisiva —como lo era, también entonces, la de Roma misma— podía tolerar sin rubor el inmenso tráfico de esclavos que convertirá a Lisboa en el mayor mercado esclavista de Europa, con su inevitable carga de crueldad pública. En España, al contrario, los consejeros espirituales de la reina la acompañarán en la revolucionaria declaración de la libertad de los americanos que la Corona dispone por real cédula del 20 de junio de 1495.

Pero la diferencia nacional más restallante provendrá de las políticas que España y Portugal realizarán en Europa. Como ya hemos dicho, la profunda inserción de Aragón en la política mediterránea y el genio del rey Fernando harán crecer a España como potencia europea de primera línea al paso que Castilla florece en el imperio ultramarino. Esta dualidad española será el secreto de su vigor plurisecular, aunque también un permanente desafío a su unidad nacional. Portugal, encerrado en su balcón, carecerá de ambos. No afrontará problemas estratégicos graves en Europa, pero tampoco crecerá en la proporción de sus descubrimientos ultramarinos.

Esta asimetría de las dos realidades metropolitanas es fundamental. Su poderío y su crecimiento le permitirán a España darse el lujo de una política ultramarina de colonización, de construcción de la civilización indiana, de pasarse medio siglo poniendo vigor en América sin recibir a cambio casi nada. Y, en los dos siglos siguientes, proteger a su imperio ultramarino con las espaldas de sus guerras europeas, según lo que he llamado el teorema de Felipe IV.[12] El imperio español podrá ser colonizador y protegido.

Muy otra es la situación portuguesa. Y Portugal lo sabe desde el primer momento. La toma de conciencia se da, probablemente, en los días de agitados debates de los consejeros de D. Juan II, entre el viaje de Bartolomeu Dias y el de Vasco da Gama. Allí Portugal siente que ha traspuesto un límite. Y ese límite significa que de ahí en más, insensiblemente, el imperio crecerá con fuerza propia, arrastrando a la encorsetada metrópoli a problemas mundiales desproporcionados. Portugal no podrá colonizar medio mundo y, a poco andar, no podrá ni gobernarlo ni protegerlo. De a poco, el pequeño reino europeo se volverá satélite de su imperio, aunque sin perder la lucidez ni los espasmos de autoridad.

La desproporción portuguesa, su osadía, es de variadas consecuencias. Para empezar, esta ley de formación del imperio de ultramar anuncia ya su debilidad congénita y atenúa la responsabilidad que muchos historiadores cargan a los reyes posteriores que tuvieron que aceptar los retrocesos. Para la historia americana, esta desproporción es el anuncio de un Brasil insumiso, obligado a defenderse por sus propios medios,

45

hecho prematuramente a los vientos de la política mundial. No lo olvidemos.

Finalmente, la debilidad relativa del reino portugués es también la debilidad de su organización, de su aparato estatal y social. Volveremos sobre esta cuestión. Pero es menester apuntar ahora el juego de tijeras que ponen en marcha los descubrimientos. Portugal se hace a la mar sin la profunda modernización interna que habían hecho los Reyes Católicos en España. Y una vez partido, la dinámica de las conquistas y de los problemas nuevos lo envuelven, lo transportan y lo paralizan. Mientras mayores sean los éxitos en ultramar, más irrealizables se vuelven las reformas internas. Pero el día que esos éxitos se detengan, Portugal no encontrará en sus entrañas los recursos para recuperar el equilibrio. Éste es el precio de la desmesura, que vendrán a descubrir, amargamente, los bisnietos de los navegantes fundadores.

Puestos en viaje, España y Portugal llegarán a mundos muy diferentes. Tengo ya dicho que sólo España, por su condición de superpotencia de la época, podía realizar la ocupación y colonización del Nuevo Mundo. Cualquier otra potencia que hubiese llegado aquí, habría carecido de los medios ideológicos, técnicos y materiales para la gigantesca construcción. Sin ir más lejos, lo va a demostrar la endeblez y superficialidad de la ocupación portuguesa en el Brasil hasta bien entrado el siglo XVII. En cambio, Portugal llegó a los ricos y organizados reinos asiáticos, luego de pasar por un África poblada donde pudo injertar sus fortalezas y puestos costeros como puntales del comercio. Por eso mismo, Portugal empezó desentendiéndose del Brasil y prefiriendo el tráfico africano y el relumbre del Asia. Para Lisboa, era lo conveniente y lo posible.

Los recursos de la partida y las realidades de la llegada le dieron a España un destino colonizador y a Portugal una épica comerciante. Los hombres ibéricos cumplirían, con brillo inigualable, ambos mandatos de la historia.

3. El imperio andante

Por la senda de Vasco da Gama, el impulso portugués invadirá todo el Oriente. Senda, camino, ruta. El gran navegante pasará a la historia con los mismos títulos que le reconocen sus contemporáneos: descubridor de la ruta marítima a la India. Es Colón el que ha fracasado y no puede ignorar esta derrota en los últimos amargos años de su vida; todavía no sabe que ha descubierto un continente, aunque ya los españoles de la época empiezan a sospechar que han descubierto un gigantesco archipiélago. Pero no es la India, ni es Cathay. El que ha descubierto la ruta es Vasco da Gama. Y lo que es incertidumbre entre los castellanos es certeza irrecusable en Portugal. Por eso, cuando el rey D. Manuel escribe su carta de triunfo a los Reyes Católicos hay en ella un perfume de ironía.

Esta disparidad en los resultados anuncia la disparidad de destinos. Los portugueses han descubierto la ruta a la India, como antes descubrieron las rutas para doblar el cabo Bojador, las rutas del golfo de Guinea y la ruta que circunvala el cabo de Buena Esperanza, extremo austral del África: el pueblo navegante es un descubridor de rutas, las rutas del mar. Los españoles han descubierto un archipiélago, un territorio, un Nuevo Mundo, y enseguida se dedicarán a poblarlo. El destino le está dando a Portugal su oportunidad, la que mejor le calza, la única posible: descubrir rutas en el mar, construir un imperio itinerante, un imperio marítimo. Y a España la otra, la que puede abarcar y hacer florecer: colonizar un continente, fundar una civilización de montañas y llanuras, un imperio sedentario y territorial.

El siguiente paso será, para cada una, poner en práctica una geoestrategia imperial funcional a sus logros y posibilidades. Los españoles imaginarán su imperio mirando desde la tierra hacia el mar y así sus nuevos reinos americanos serán unidades territoriales clásicas, con la significativa particularidad de que las capitales virreinales estarán situadas con independencia de los puertos y pensando en la mejor articulación del territorio tributario. Los portugueses harán su mundo mirando del mar hacia la tierra, de modo que los puntos costeros sean el apoyo de su soberanía marítima, nudos portuarios del tráfico naval, y sus capitales virreinales serán todas fortalezas

47

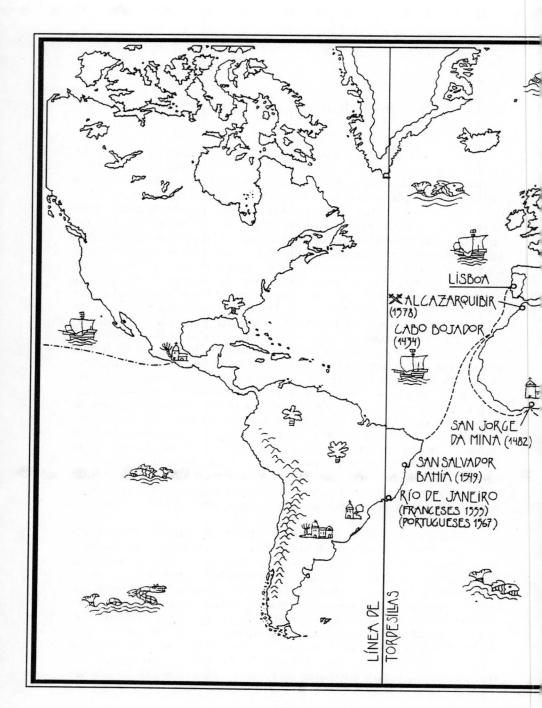

LISBOA

✖ ALCAZARQUIBIR
(1578)

CABO BOJADOR
(1434)

SAN JORGE
DA MINA (1482)

SAN SALVADOR
BAHÍA (1549)

RÍO DE JANEIRO
(FRANCESES 1555)
(PORTUGUESES 1567)

LÍNEA DE
TORDESILLAS

48

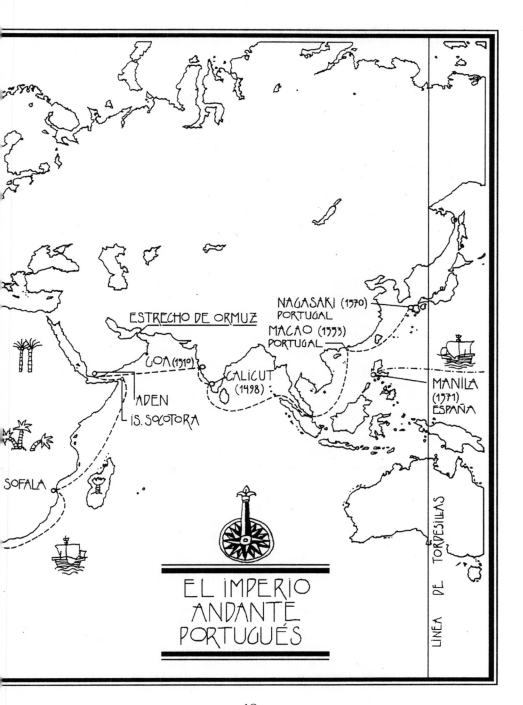

ESTRECHO DE ORMUZ

NAGASAKI (1570)
PORTUGAL

MACAO (1573)
PORTUGAL

GOA (1510)

CALICUT
(1498)

MANILA
(1571)
ESPAÑA

ADEN

IS. SOCOTORA

SOFALA

LÍNEA DE TORDESILLAS

EL IMPERIO
ANDANTE
PORTUGUÉS

49

marítimas. Habrá un solo caso de una capital virreinal española instalada en un puerto y con vocación navegante, la futura Buenos Aires. Me parece que conviene adelantar el símbolo.

La estrategia portuguesa es una invención apasionante. Los griegos y los fenicios de la Antigüedad, los normandos y los venecianos de la Alta y Baja Edad Media habían construido civilizaciones marítimas y soberanías itinerantes. Pero eran modelos reducidos en el espacio y en cuanto a la diversidad cultural y religiosa de ese espacio. Los portugueses van a inventar la dimensión mundial de un imperio marítimo, el primero de todos los tiempos, el que hará aliviada y relativamente banal la tarea posterior de ingleses y holandeses.

Y allá van. Con las noticias traídas por Vasco da Gama, D. Manuel ordena la partida de una gran expedición al mando de Pedro Álvarez Cabral, encargada de repetir el viaje descubridor. Pero buscando mejorar la ruta del Atlántico, Álvarez Cabral se desvía hacia el oeste y en abril de 1500 descubre la "Tierra de Santa Cruz", el Brasil. En 1501 parte Juan de Novoa y en 1502 vuelve a la India Vasco da Gama. Tres nuevas expediciones hacen el viaje en 1503 y la de Lopo Vaz en 1504.

Con las noticias y los frutos de todas estas expediciones, D. Manuel toma la decisión de establecer el virreinato de la India, en cabeza de D. Francisco de Almeida que parte rumbo a Calicut en 1505. El primer virrey europeo del Asia emprende la ruta portuguesa deteniéndose en todos los puntos críticos de la costa africana para consolidar las fundaciones y concretar nuevas, siempre con la vista puesta en las necesidades de la navegación y en las posibilidades del comercio marítimo. El virrey piensa las fundaciones desde el puente de mando de su nave capitana, gobierna desde su capital flotante.

Ya Portugal tiene también una estrategia comercial, versión mayor de la que impulsaba Enrique el Navegante: desviar hacia su ruta marítima el tráfico de especias que desde tiempos inmemoriales sale de Calicut y hace escala en el golfo Pérsico y el Mar Rojo, para continuar por tierra hacia las costas del Mediterráneo. En el mil quinientos, ésa es la ruta de los comerciantes musulmanes, protegidos por la flota de guerra egipcio-guzarate. Portugal va a embestir esa minuciosa articulación con la fuerza de sus cañones y la tentación de un viaje redondo de Calicut a Lisboa por su nueva ruta marítima del Cabo. Está naciendo el comercio mundial. La cristiandad les ha declarado la guerra comercial a los mercaderes islámicos.

Con esos objetivos parte en 1506 la gran armada de Tristán da Cunha. Viaja en ella Afonso de Albuquerque, que habrá de ser el segundo virrey de la India, el fundador definitivo del espacio portugués en el Índico y el doctrinante del imperio marítimo. La armada ocupa la isla de Socotora, en la entrada del Mar Rojo, y de allí Albuquerque parte a la conquista de la isla de Ormuz, llave comercial del golfo Pérsico. La idea portuguesa es cerrar todas las puertas del Océano Índico hacia el norte, para hacer forzoso el uso de su ruta marítima circunvalando el África. Es una idea genial, pero que requerirá recursos descomunales.

En 1509 la flota portuguesa destruye a la armada egipcio-guzarate frente a Diu. En 1510 Albuquerque ocupa Goa y decide instalar allí la sede de su virreinato. Está naciendo, también, una leyenda, la de "Goa dourada", la maravillosa capital portuguesa de la India, sede del poder, de la riqueza, de los sueños.

Advertido de la poca utilidad de Socotora, Albuquerque ataca Adén, la verdadera llave del Mar Rojo, aunque sin éxito. Pero empuja un poco más el telescópico brazo portugués: en 1513 destruye a la armada javanesa en las costas de Malaca, abriendo el camino hacia el Pacífico. Y envía embajadas a Siam, Java y las Molucas. Ya todo el Índico es "dominio" portugués, a pesar de que el virrey no logra cerrar la falla del Mar Rojo, aunque sí desorganizar la ruta comercial árabe de esa región por unos veinte años, hasta la llegada de los expansivos turcos en 1538.

En la culminación de su colosal aventura, Afonso de Albuquerque le da al rey D. Manuel el consejo estratégico para asegurar el dominio portugués del Índico: "Con cuatro buenas fortalezas y una gran flota bien armada, tripulada por 3.000 portugueses nacidos en Europa". Con el tiempo, entre el Sofala africano y el Nagasaki en Japón, Portugal habrá alineado nada menos que cuarenta fuertes marítimos de apoyo. Pero el potencial naval reclamado por Albuquerque sólo se alcanzará por un momento en 1606, en pleno período de la monarquía dual, cuando Portugal es gobernado por los reyes de España, de quienes tan mal gustan hablar muchos historiadores lusitanos.

Cuando la muerte sorprende a Albuquerque, en 1515, a bordo de su nave insignia de regreso de Ormuz y a la vista de Goa, las realizaciones portuguesas pertenecen al mundo de la maravilla. Y autorizan casi cualquier audacia en lo por venir. Lisboa lo sabe. Acaso por eso el rey D. Manuel remite a Albuquerque los nombramientos póstumos de "virrey perpetuo de las Indias, duque de Goa y señor del Mar Rojo".

Ahora ya todo es mudanza. Plantados en la esplendorosa Goa, dominada Malaca y asegurada la retaguardia de la larga ruta marítima, los portugueses giran hacia el norte, decididos a ocupar toda la posesión del medio mundo que les ha otorgado el Tratado de Tordesillas. Y entran en el mar de la China en el mismo momento en que la expedición española de Magallanes-

51

Elcano llega a las Filipinas cruzando "la espantosa extensión del Pacífico". Como en un ballet, portugueses y españoles convergen al otro lado de la línea de Tordesillas en el mismo momento, con una sincronía de "pas de deux".

Pero las flotas costeras del emperador de la China traban el avance portugués; los viajeros europeos han encontrado un adversario de su talla militar. Y deben variar de estrategia: los conquistadores del Índico se volverán negociantes en el Pacífico. Así lograrán instalarse en la costa china de Macao en 1557 y destrabar las resistencias japonesas para organizar un lucrativo comercio entre China y Japón con base en Macao y Nagasaki.

La instalación definitiva de los portugueses en Nagasaki se concreta en 1570. En ese mismo momento Miguel López de Legazpi estaba colonizando las Filipinas y un año después emprendería la fundación de Manila. Ahora parecía que portugueses y españoles iban a chocar en Asia, en las antípodas de sus patrias de origen. Y los portugueses temen ese momento. Pero Felipe II, que sólo diez años después entrará en Lisboa como rey de Portugal, toma la decisión de respetar el límite convenido y garantir la pacífica posesión portuguesa de su factoría en Japón y del monopolio comercial con China. No habría combate asiático entre los pueblos ibéricos, como tampoco lo había en Europa. Las diferencias de frontera entre los dos reinos sólo serán punzantes en América, cien años más tarde. En América, en nuestra casa, aquí mismo...

En los días del mil quinientos y en los años posteriores, nuestra América es tierra de frustraciones. Ya conocemos las de Colón y sus socios, los Reyes Católicos. Los portugueses que van peinando las costas del Brasil tras los pasos de Álvarez Cabral encuentran en sus posesiones de Occidente sólo "madera para teñir, papagallos, monos y salvajes desnudos y lo más primitivos posible". Esta poquedad americana debía ser aún más punzante para ellos, que la visitaban como una escala casi miserable de las opulentas flotas que empezaban a traer, de Goa "dourada", la pimienta, la canela, el clavo, el jengibre, las sedas.

Si los castellanos no tenían más remedio que fundar colonias agonizantes y seguir caminando hacia Occidente en busca de un premio económico para su empeño descubridor, los portugueses podían ya regocijarse con su imperio marítimo del Índico y considerar al Brasil un percance de la geopolítica.

Sólo las calidades tintóreas del "palo brasil" darán algún sustento económico a la Tierra de Santa Cruz hasta obligarla, incluso, a mudar de nombre. Pero esta madera amarillenta, que se encontraba con facilidad a lo largo del litoral, podía ser explotada con métodos primitivos y el solo concurso de la población indígena seminómade. No se requerían grandes capitales ni emprendimientos y las entradas portuarias podían ser tantas como calas ofrece el litoral extensísimo. La relativa brevedad de los viajes transatlánticos y la creciente previsibilidad de los vientos y corrientes también facilitarán el transporte en navíos menores. No habrá, por lo tanto, ni un gran monopolio de la Corona, ni las gigantescas "naos" de la carrera de Asia, ni prominentes gobernadores o virreyes, ni fortificaciones estratégicas. Y esta labilidad de la colonia brasileña la hará presa fácil de otros explotantes. Enseguida aparecerán los franceses, desentendidos de la partición mundial de Tordesillas, caminando por ese Atlántico que se va haciendo "mar de todos" y fundando, desde los primeros días, el carácter cosmopolita de esta costa oriental de América.

Estamos llegando a los tiempos de Carlos V (1517) que, encandilado por su gigantesca faena europea, dará a la América española una "política residual", dejando su construcción librada a la inercia colonizadora de Castilla y al genio creciente de los capitanes indianos. Portugal, a su vez, hipnotizado por la grandeza de su construcción africana y asiática, también empezará considerando a sus posesiones americanas un residuo del gigantesco imperio marítimo. Así empieza la historia del Nuevo Mundo, español y portugués; una historia de residuos. Ya vendrán los cambios, ¡y qué cambios!

Siguiendo su estrella, Portugal se jugará entero en la construcción del imperio oriental, aquella "república militar" de que nos hablará dos siglos más adelante el virrey D. Pedro de Almeida. Y el empeño dictará sus condiciones: un imperio marítimo, nacido contra reinos antiguos y poderosos, con la voluntad de crear un comercio mundial en competencia con el comercio parcelado que era la vieja ruta del oro africano y las especias asiáticas, extendido en una dimensión gigantesca de tránsito largo y difícil, financiado por el comercio de productos raros, valiosísimos y transportables y con riesgos desproporcionados para las vidas y los capitales puestos en él.

Hacía falta una "locura portuguesa" para semejante trabajo, acompañada por dirigentes de gran calidad, coraje y pericia militar, atractivos comerciales imbatibles, navíos grandes y modernos y premios proporcionales al riesgo. Éste no podía ser un trabajo espontáneo, ni encarado por particulares, ni podía dejarse al acaso de las iniciativas de los capitanes, desarticuladamente. Todo requería ser pensado y concertado, comandado y controlado. Así debía ser el imperio del Oriente, con estos requerimientos que no encontraremos nunca en el imperio portugués del Occidente, el de América. Esas diferencias se harán mundos.

Portugal creyó poder. La gran nobleza y lo mejor de la dirigencia del reino tomó el camino de la India o se enroló en los negocios y preparativos de la ruta del Cabo. La Corona procuró articular este movimiento creando instituciones metropolitanas capaces de organizar y controlar las expediciones y sus frutos: en 1503 el rey estableció la "Casa da India", encargada de administrar y aplicar el monopolio de la Corona en las transacciones de ultramar. Era el mismo año en que los Reyes Católicos creaban su Casa de Contratación de Sevilla...

Aquellos grandes navegantes portadores de la autoridad real, jefes militares en campaña y depositarios del monopolio de la Corona, debían embarcarse en navíos capaces del largo viaje y aptos para combatir contra las cerradas formaciones de las escuadras guzarate, javanesa o china. Portugal tuvo la audacia de sobrepasar todos los límites conocidos en cuanto al porte, desplazamiento y armamento de sus "naos". Verdaderos castillos flotantes fueron construidos en Portugal y luego en Goa y en el Brasil. Cuando en la batalla de las Azores (1591) —donde la flota hispano-portuguesa de Felipe II tomó revancha de la derrota de la Armada Invencible— los ingleses lograron capturar al célebre "Madre de Deus", se quedaron mudos de asombro ante las dimensiones y adelantos de aquel portento que los técnicos examinarían con minucioso estupor. Estaban ante un barco de más de 1.600 toneladas, prolijamente artillado, de eslora, manga y altura desconocidas y capaz de transportar hasta 700 viajeros debidamente nutridos durante mucho tiempo. Mucho tiempo: era usual que el viaje de Lisboa a Goa o viceversa durase de seis a ocho meses, y no menos prolongada era la travesía desde Goa a Nagasaki. En el mejor de los casos, un oficial de la Corona que debiera ir y volver de Lisboa al Japón, recorriendo todo el espinel del imperio oriental, pondría en su faena no menos de dos años y existía un tercio de probabilidades de que muriese en camino.

Los premios condignos de aquellos trabajos serían espirituales, honoríficos y económicos. De los unos se ocuparía Dios, según los principios invariables de la época que ya hemos recordado. De los otros se encargará el rey, capaz de cubrir de títulos a Vasco da Gama y otorgar a Albuquerque no sólo el ducado de Goa sino hasta la hipotética señoría del Mar Rojo. De los premios económicos se ocuparán los interesados, saqueando con ferocidad y comerciando con ingenio, en sociedad con la Corona que cree poder afirmar su monopolio y cobrar sus derechos puntualmente.

Pero es la articulación de la economía del gigantesco imperio lo que primero pondrá de manifiesto la desproporción entre

Portugal y su imperio y la creciente debilidad y desorganización del reino metropolitano.

Ya al llegar a Calicut en su primer viaje, Vasco da Gama hará una comprobación desagradable: los tejidos, los cueros trabajados y las variadas chucherías que lleva para canjear por los productos asiáticos no interesan ni al reinante "samorim" ni a los mercaderes; quieren, simplemente, oro. Asia está dispuesta a venderles a los portugueses y hasta aceptar sus pretensiones monopólicas, pero quiere ser pagada en metal precioso, el oro en el Índico y la plata en el Pacífico. Sin esta condición no hay comercio; ni imperio, claro.

Por entonces, Portugal ha logrado acompasar la extracción de oro africano a través de la Costa de Mina, sustrayéndolo a las caravanas transaharianas, y el creciente giro comercial de Lisboa lleva también a ella una parte de la plata que produce Europa central. No es mucho, pero alcanza para iniciar el movimiento del imperio oriental. Claro está que a medida que el giro comercial crezca, los requerimientos de metal precioso irán en aumento. Éste será el lecho de Procusto del imperio, su corset.

Y por todas partes y por todos los medios los portugueses se empeñarán en conseguir metales preciosos. Primero, imaginando poder descubrir, ellos también, en el descomunal territorio que van avasallando, minas tan ricas como las que encuentran, organizan y explotan los españoles en América. Y, en su defecto, multiplicar las transacciones en África y en Asia mismas para descremar parte del oro y la plata que ya circulan en Oriente. Con el tiempo, este segundo procedimiento se demostrará el único posible, pero le aportará a la Corona y a la unidad política del imperio lusitano una carga peligrosísima de tendencias centrífugas, de dispersión incontrolable. Al no poder garantizar un flujo centralizado de dinero la Corona terminará por ceder su soberanía económica. Y el imperio lusitano sólo quedará sostenido por la argamasa de la "república militar".

Dos episodios característicos de la segunda mitad del siglo XVI ilustran esta fragilidad. Un nudo comercial estratégico del imperio será la isla de Ormuz, llave del golfo Pérsico, gobernada por un "rey moro" vasallo del rey de Portugal. En el último cuarto del siglo la actividad comercial de la isla es intensísima y se desenvuelve casi con total autonomía respecto de las disposiciones de la Corona, pues "los mercaderes persas, turcos, árabes, armenios y venecianos frecuentaban la isla para comprar especias a los agentes y comerciantes privados portugueses, en completo desprecio por el monopolio teórico de la Corona ibérica."[13]

A seis meses de viaje de Ormuz, en el mar de la China, los portugueses se enfrentaban a otra situación paradigmática. Los chinos vivían convencidos de que su emperador era el único señor del mundo y que todos los pueblos extraños eran bárbaros que le debían pleitesía. Algunos les eran particularmente incómodos, como sus vecinos los japoneses; pero con ellos habían tenido un comercio tradicional y floreciente, aunque estigmatizado y combatido por la autoridad imperial. Es entre estas dos animosidades que los portugueses logran instalarse, asumiendo con su flexibilidad admirable el carácter de intermediarios en el comercio prohibido, con el mayor beneplácito de ambas partes. Y lo crítico de ese comercio era, justamente, la voracidad china por la plata, que Japón producía. Instalados en Nagasaki, los portugueses lograrán apropiarse de ese monopolio y conservar durante algunas décadas el privilegio de abastecer a China del metal precioso indispensable para su sistema monetario interno. Contra ese monopolio portugués aparecerá pronto la competencia de la plata española de América que empezará a cruzar el Pacífico desde Acapulco a Manila en las bodegas de la "nao de China".

Así, ni los comerciantes de Ormuz ni los monopolistas de Nagasaki encontrarán mucho provecho en la sujeción a la Corona portuguesa y en el cumplimiento de sus obligaciones impositivas, como no sea contar con el respaldo de la protección militar y la bendición religiosa para el caso de tener que dejar este mundo. Y la Corona empezará a sentir, lenta pero inexorablemente, la mengua del tráfico que le interesa y le permite financiar el inmenso esfuerzo administrativo y militar del Imperio. Al promediar el siglo, el flujo de especias asiáticas que doblaba el cabo de Buena Esperanza rumbo a Lisboa se podía estimar en unas 6.000 toneladas anuales, de las cuales casi la mitad estaba compuesta por pimienta, la más estimada. Cincuenta años después, esas cifras se habían reducido a la tercera parte y el tráfico de especias por las viejas rutas musulmanas del golfo Pérsico y el Mar Rojo estaba casi plenamente restablecido.

¿Fracaso? Vamos por partes. La gigantesca construcción portuguesa requería tres vigas maestras: grandes hombres, grandes naos y grandes dineros. Pero a medida que la obra crecía esos requerimientos aumentaban. El pequeño reino se vaciaba de sus varones más emprendedores, que terminaban afincándose de modo definitivo y complacido en los pequeños Portugales del oriente. La construcción naval se forzó al máximo y no es poca cosa que al promediar el siglo los lusitanos tuviesen en servicio 300 buques de alta mar de gran porte, aunque siguieran resultando insuficientes para gobernar tantos mares. Y los dineros se fueron apocando en términos relativos a medida que el novísimo comercio mundial se articulaba.

La expansión en Asia de los portugueses y la construcción española del Nuevo Mundo provocaron una verdadera estampida en la economía de Europa. Y esta Europa enriquecida aumentó sus demandas de productos de todo origen, también de las especias. La producción asiática se duplicó en pocas décadas, pero con el acompañamiento paradojal de que los precios se triplicaban. Quiere decir que el comercio mundial del Asia que habían inventado los lusitanos se multiplicó por seis en menos de medio siglo. ¿Cuánto dinero hacía falta para monetizar semejante tráfico? Tanto, que Portugal nunca lo tendría, ni aun el imperio universal de Felipe II y sus sucesores. Los frutos territoriales y económicos de la grandeza ibérica serían aun más grandes que ella.

Y en ese frenesí, los portugueses estaban haciendo lo imposible, mucho más de cuanto el sentido común podía haber imaginado. Y lo estaban haciendo de un modo completamente original.

Porque en su imperio con las rutas en el mar, los despachos oficiales en el puente de mando de las naos y los gobernadores siempre de viaje, habían logrado inventar una actividad productiva basada casi exclusivamente en la intermediación comercial. La economía imperial portuguesa ajustaba de manera perfecta con toda la concepción itinerante del imperio. Y tenía también sus mismas debilidades y fortalezas. El pequeño pueblo europeo había descubierto que era posible gobernar el movimiento. Eran los mismos días en que Felipe II inventaba el gobierno sedentario, empezaba a construir su Estado Universal y declaraba a Madrid capital permanente de las Españas. Parecían David y Goliat; y entre los dos solos llenaban la escena del mundo.

Es en este momento que Portugal empieza a destemplarse. Sus viejas fallas estructurales no habían sido resueltas por la gran osadía y el imperio andante. Y ahora venían a buscarlo.

Por lo pronto, la sin par magnificencia del imperio y la sucesión de hallazgos extraordinarios debían provocar la voracidad de las otras potencias europeas, perfectamente conscientes de la debilidad de Portugal. Para protegerse de este desequilibrio, Lisboa impuso una estricta censura en las informaciones de Oriente e intentó combatir sin piedad cualquier deslealtad. Este débil propietario de una inmensa fortuna habría de vivir la desproporción con el riesgo de precipitarse en una conducta paranoica. Así la sopesa el ensayista brasileño Álvaro Teixeira Soares: "¿Cómo explicar la política de tolerancia del mismo Albuquerque en tierras de la India, tan elogiada por el historiador hindú Panikhar, cuando en la metrópoli cerrada el espionaje político y religioso trataba a los extranjeros como sospechosos, al contrario de la magnífica tradición revelada por la dinastía de Avis en relación con los genoveses, mallorquinos, ingleses y flamencos? Alegóse que a medida que los portugueses dilataban las conquistas africanas y asiáticas, el imperativo se tornó el 'sigilo político y diplomático' para impedir que los agentes extranjeros tuviesen noción exacta de lo que ellos realizaban a través del inmenso mundo nuevo. Ésta es la tesis de Cortesao y otros historiadores modernos portugueses. Con todo, ella no resuelve enteramente el problema; porque una cosa es el sigilo político que rodeaba la expansión ultramarina y otra el comportamiento que la gente culta del reino revelaba en cuanto a lo que sucedía a través de Europa".[14]

En la misma duda de Teixeira está la explicación de la paranoia metropolitana. Porque lo que empieza siendo una política de sigilo, común a todas las potencias europeas que participaban en los descubrimientos y que España aplicó también con particular celo, en el caso del frágil Portugal se va convirtiendo en un estado de temor, en una voluntad de encierro y, finalmente, en un quietismo metropolitano que se hace costra. El imperio, que tan fantásticamente va a cambiar el destino de Portugal hacia afuera, se convertirá en la hipoteca de todo cambio interno. Y así, la inicial fragilidad metropolitana se hará crónica, acentuará su marginalidad en Europa y comprometerá los trabajos futuros.

Esta condena al desarrollo desigual tiene su expresión más dramática en la incapacidad de la Corona portuguesa para construir un Estado capaz de administrar el reino y el imperio. El sigilo y la desconfianza impiden legislar con transparencia y construir un sistema estatal fuerte y abierto. La censura y la xenofobia paralizan el desarrollo cultural y científico; ya el Portugal del mil quinientos tiene una de las universidades más pobres de Europa. Y así no habrá recursos humanos suficientes para renovar el gobierno del medio mundo lusitano.

La incompetencia del Estado portugués —tan distante del Estado Universal de Felipe II— comprometerá el modelo mismo de imperio que está en construcción. Porque no habrá quién realice el ideal de que todo sea "pensado y concertado, comandado y controlado". Es por esta carencia que el imperio se irá desflecando como hemos visto en Ormuz y en Nagasaki, a favor de los impulsos de los mismos particulares portugueses. Cuando en el siglo XVII las otras potencias europeas decidan embestirlo, el desflecamiento se hará derrumbe.

La asimetría entre la metrópoli y el imperio aparejará otras desigualdades. Hechos con "grandes hombres, grandes naos y grandes dineros", los Portugales del Oriente y sus frutos quedarán reservados a la nobleza y a la Corona. Es la crema de la sociedad portuguesa la que participará de la gran aventura y gozará de sus réditos, dejando al país interior en la pobreza material de siempre y en un oscurantismo político y cultural agravado. Como sucede siempre en estos casos, el mayor poder de los grupos poderosos acentuará la rigidez social y el espíritu conservador.

El resultado convoca la perplejidad de Teixeira: "Si el imperialismo lusitano se desdoblaba de acuerdo con un programa rígido, demostración admirable de alta política, forzoso se torna reconocer que puertas adentro del reino no existía proporcionalidad cultural con el crecimiento de la riqueza derivado de la llegada de productos ultramarinos a Lisboa. Así, la divergencia era profunda, se imponía el contraste entre una forma de imperialismo enérgico y un estancamiento cultural, justificado por motivos políticos y religiosos".[15] El Portugal pequeño y frágil se volvía, además, oscurantista. Y las inconsistencias con que entró en la estela de su grandeza prenunciaban la crisis de su proyecto imperial y la minusvalía crónica del reino metropolitano. Ésta es una de las paradojas dolorosas de esta nación, fecundante y yerma a la vez.

Pequeño, frágil, desorganizado, desigual, corajudo, soñador y victorioso, Portugal se encaminaba al último acto de su epopeya. La concatenación de los hechos externos e internos lo empujaba hacia adelante, sin posibilidad cierta de pausa, de respiro, de asentamiento. Inventor y gobernador del movimiento, se había vuelto su vasallo, porque todos sus crecientes problemas internos y las fracturas de su imperio sólo parecían aplacarse en la marcha, en el andar.

Al rey D. Manuel sucedió en 1521 su hijo, D. Juan III, a quien con justicia debe considerarse el fundador del reino del Atlántico y de la América portuguesa. Su mirada hacia lo más próximo era consistente con una perspectiva más realista de las posibilidades portuguesas. El nuevo rey procedió como si fuese consciente del tamaño desmesurado del Imperio y procuró imponer una pausa a la carrera desbocada. Esa pausa se plasmó en el abandono de algunas plazas africanas y en el nacimiento del interés metropolitano por las posibilidades del Brasil. Estas políticas, que a la distancia de cuatro siglos aparecen llenas de sentido común, no fueron unánimemente aceptadas, acaso por su misma virtud de reemplazar los sueños por las realidades. A su muerte, en 1557, dejó la Corona en la cabeza de su pequeño nieto, D. Sebastián. Y será este rey, joven y animoso, el vengador del sueño de grandeza, con un catastrófico desenlace.

Empeñado en reconstruir el imperio del norte de África que su abuelo había reducido, D. Sebastián prepara una gran expedición contra Marruecos. Cuenta con la bendición papal, el apoyo militar de su tío, Felipe II de España, el concurso de toda la nobleza lusitana y un lucido ejército que embarca en una expedición marítima grandiosa, como Portugal podía permitirse.

Contra la opinión de sus consejeros, D. Sebastián busca un choque frontal y decisivo, eligiendo desembarcar en Alcazarquibir. El 4 de agosto de 1578 el ejército cristiano enfrenta a la cerrada formación sarracena. La noche antes, el rey ha preguntado a Don Cristóbal de Távora: "¿De qué color es el miedo?". "Señor, del color de la prudencia", le contesta el viejo hidalgo[16]. Ya es tarde y el rey es la historia de Portugal todo entero.

El ejército cristiano fue despedazado por los príncipes moros. D. Sebastián murió en los combates, no dejando más sucesores dinásticos que sus dos tíos, el viejo cardenal D. Enrique y el incontenible Felipe II de España. Los árabes tomaron prisioneros a miles de nobles, hidalgos y capitanes portugueses, por cuyo rescate pedirían luego una suma fabulosa en metales preciosos.

La fuga hacia adelante —el riesgo existencial de Portugal y sobre todo del Portugal del primer imperio, el Imperio Andante— se había detenido de manera dramática. Acaso el abuelo D. Juan III que había intentado detener la carrera y prefirió fundar el Brasil no se reconocería en el gesto del nieto. Pero los dos encarnaban el destino divergente de la nación.

El 4 de agosto de 1578 el mandato itinerante estaba quebrado. El otro, el mandato colonizador al estilo castellano, que Juan III había sembrado, era casi invisible entre el polvaderal sanguinolento de Alcazarquibir y el brillo enceguecedor de "Goa Dourada".

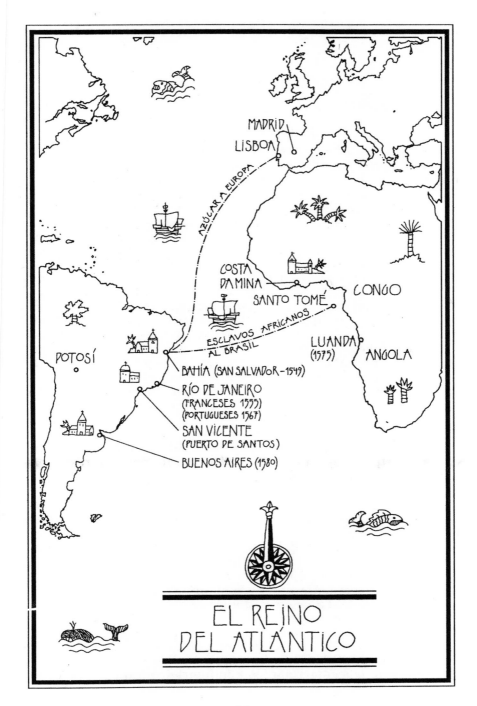

MADRID
LISBOA

AZÚCAR A EUROPA

COSTA
DA MINA
SANTO TOMÉ
CONGO

ESCLAVOS AFRICANOS
AL BRASIL
LUANDA
(1575)
ANGOLA

POTOSÍ

BAHÍA (SAN SALVADOR – 1549)

RÍO DE JANEIRO
(FRANCESES 1555)
(PORTUGUESES 1567)

SAN VICENTE
(PUERTO DE SANTOS)

BUENOS AIRES (1580)

EL REINO
DEL ATLÁNTICO

61

4. El reino del Atlántico

El Imperio Andante ignoró al Brasil. Era tierra hostil, despoblada y pobre, no había en ella ninguna civilización sedentaria con la que establecer lazos comerciales, militares o de vasallaje, ni productos de antigua demanda en Europa. Era tan Nuevo Mundo como el que habían encontrado los españoles en el Caribe y empezaban a desflorar en México. Aquí no se trataba de competir con un viejo comercio musulmán ni someter a naciones legendarias. No se podía "factorizar". La onda de choque de los portugueses se perdía en el vacío de las selvas americanas. El ataque frontal no daba frutos.

El nuevo mundo portugués sólo ofrecía nuevos productos, cuyos aprovechamiento y comercialización debían organizarse desde cero. La explotación del "palo brasil" requería entrar en relaciones de trabajo con los indígenas, remisos al sedentarismo y al esfuerzo sistemático. Y estas relaciones eran irregulares, porque no había una organización política local que permitiese acuerdos comerciales o políticos con sus jefes. Así, los naturales podían tanto negociar hoy con un portugués como mañana con otro visitante; no había lealtades personales ni territoriales.

Y una vez obtenida la madera tintórea, debía ser comercializada en Europa, entre los industriales del textil, que raramente eran portugueses: el "palo brasil" tenía un mercado restringido, especializado y no portugués. Lisboa quedaba confinada a un rol de intermediario industrial, muy distinto de los que había desarrollado en las especias o los metales preciosos. Los principales clientes para el "palo brasil" estaban en los países industriales, especialmente Francia.

Además, las rutas del Atlántico se banalizaron enseguida. Se hicieron conocidas y relativamente seguras y se las podía transitar sin mayores apoyos de tierra firme, porque los viajes eran comparativamente mucho más breves que hacia el África oriental o la India. La seguridad y brevedad de los cruces transatlánticos los hicieron practicables para navíos menores, de los que había cantidad en cualquier puerto marítimo europeo.

Cuando en 1521 D. Juan III sucedió a D. Manuel en el trono lusitano, estas particularidades del Brasil se habían vuelto urticantes. Los comerciantes e industriales franceses, con su capital económica en el gran puerto industrial de Rouen, habían descubierto las tres virtudes del negocio propio: evitar la intermediación portuguesa, viajar al Brasil con facilidad y negociar directamente con los trabajadores indígenas. Y la Corona francesa, opuesta a la partición de Tordesillas, amparaba estas expediciones sin pudor y con miras territoriales y políticas crecientes. En 1521, la presencia francesa en el Brasil desafiaba abiertamente los títulos jurídicos de Portugal.

Y el reino metropolitano, marginal y frágil, no tenía medios para permitirse una política de fuerza en Europa. Es la diferencia con España que ya hemos evocado. Su única arma europea eran las alianzas dinásticas y su única arma imperial era defender sus posesiones legua por legua, factoría por factoría. Es lo que hará D. Juan. Negociará con la inevitable España un doble casamiento, tomando por esposa a la hermana de Carlos V y dando al emperador la mano de la infanta Isabel, hija también de D. Manuel. Esta Isabel, emperatriz y reina de España, es la que acogerá en su corte al niño Francisco de Toledo, el futuro organizador del Perú. Y es, sobre todo, la madre de Felipe II, a quien transmitirá sus derechos al trono de Portugal que el Gran Rey hará valer en 1580. Luces y sombras de los reaseguros dinásticos...

Y D. Juan emprenderá la defensa del Brasil palmo a palmo, literalmente: fracciona la tierra americana en lonjas de entre 150 y 500 kilómetros de ancho sobre el litoral y longitud indefinida hacia el interior y otorga estas posesiones en carácter hereditario a particulares surgidos de la pequeña nobleza y la mediana burguesía, con cargo de poblarlas y gobernarlas reservándose la Corona los derechos fiscales sobre los metales preciosos y el monopolio de algunos productos, como el "palo brasil". Así nacen las capitanías generales, doce en total, extendidas entre la boca del Amazonas y la región de San Vicente, que hoy corresponde a Río-San Pablo y que entonces era el límite austral que permitía la línea de Tordesillas.

D. Juan transportaba a América un sistema que ya se había probado con variada suerte en las islas del Atlántico pero que tenía un mérito insuperable: calzaba como un guante en la enclenque mano del Estado portugués, descargando en la iniciativa de particulares confiables toda la responsabilidad territorial que la Corona no podía asumir. Cuando las instituciones del imperio marítimo se mostraban insuficientes, el rey repartía el embrión del imperio territorial creando verdaderos principados feudales en favor de los leales. Lisboa "privatizaba" su imperio con tal de conservar la soberanía titular y el usufructo comercial. Y fundaba la construcción de una América portuguesa que sería obra particular de los lusitanos, pero no hechura del Estado.

Así nace el Brasil y así será por lo menos hasta los tiempos de la monarquía dual, cuando los Felipes de España intentan inocularle su espíritu ordenador y, acaso, hasta la dictadura del marqués de Pombal, dos siglos más adelante, cuando Portugal procura implantar la concepción ilustrada del gobierno civil y centralista. Este temprano espíritu de aventura personal, autónoma y no regalista del Portugal americano se da en curiosa sincronía con los esfuerzos equivalentes de los capitanes indianos en la América española. Pero lo que en el mundo castellano es apenas una rebeldía consentida, en el portugués es una política consciente, hija de la necesidad, pero no por ello menos fecundante.

De las doce capitanías adjudicadas en 1534 sólo dos tomarán vuelo, la de Pernambuco en el norte y la de San Vicente. Y para reforzar estas instalaciones y consolidar su amenazado dominio, D. Juan dispone en 1549 la creación de una capitanía que dependerá directamente de la Corona y donde residirá el primer Gobernador General, Tomé de Sousa. La instala en el centro geográfico del territorio, en San Salvador de Bahía, que será por dos siglos la capital de la América portuguesa. Y a Sousa le cabrá el honor de construir la ciudad, imaginar la fundación futura de Río de Janeiro y emprender la batida contra los franceses que allí se han afincado, llamándola, con su maravilloso gusto por la retórica, "La France Antarctique".

Los nuevos propietarios privados del Brasil necesitaban éxitos económicos muy superiores a la cansina extracción de maderas y más concretos que los sueños de los metales preciosos. La misma sociedad lusitana, gracias a su experiencia africana, tenía la respuesta. En 1530 la isla de Santo Tomé poseía ya una floreciente agricultura e industria de la caña de azúcar con una producción de 5.000 arrobas (aproximadamente 60.000 kilos) que los mercados europeos devoraban con fruición. Con tal fruición que en los veinte años siguientes la producción se multiplicaría por treinta. Y los plantadores lusitanos habían acumulado una experiencia y una tecnología como para trasplantarla a las inmensas planicies costeras americanas. Santo Tomé sería la madre del Brasil azucarero, situado casi en la misma latitud que la isla africana y con la misma relativa cercanía de los clientes europeos. La costa africana del Atlántico le estaba dando una solución a la costa americana. Y Portugal empezaba a potenciar las similitudes de sus dos costas imperiales sobre el mismo océano. En boca de Joel Serrão, "La industria del azúcar es, desde el comienzo, uno de los aspectos típicos e inalterables de nuestra colonización atlántica"[17].

El cultivo importado, que también por las puertas españolas pronto invadirá todo el Nuevo Mundo hasta convertirse en base de la alimentación popular y eje culinario —en la estela de la golosa tradición árabe-andaluza—, traía consigo una inmediata crisis en el campo laboral. Puede advertirse que si todavía en nuestro siglo Fidel Castro movilizaba a toda la nación cubana para la cosecha de la caña, con métodos mucho más primitivos su cultivo, zafra y elaboración eran una insaciable bomba aspirante de esfuerzo humano.

Y ese trabajo gigantesco no lo podían hacer los indígenas brasileños, por mucho que los "moradores" portugueses los sometieran a los peores castigos y la Corona consintiera su esclavitud legal y generalizada. La resistencia étnica y cultural al trabajo sedentario era más fuerte que los azotes, y los plantadores pronto advirtieron que la mano de obra era la hipoteca del nuevo maná. Entonces Santo Tomé dio la segunda respuesta, fulminante, terrible y multisecular: al igual que en la isla, debía apelarse a la mano de obra esclava, traída de África misma. El Brasil autónomo, agricultor y atlántico debería nacer esclavista. No sólo de los huidizos indígenas americanos, sino esclavista de los millones de negros que cruzarían el océano en los siglos venideros. El Brasil nacía portugués y negro.

Portugués, porque los concesionarios de las capitanías procurarán por todos los medios atraer colonos de Europa a sus nuevas posesiones. Con ese impulso el mismo Tomé de Sousa hará venir 1.000 colonos para poblar Bahía, de los cuales 400 serán condenados forzosos. Pero la apertura de los alvéolos brasileños ampliará estos esfuerzos y les dará espontaneidad. En el reino metropolitano, la esquizofrenia de un imperio legendario contra una realidad local pobre y oscurantista funcionará de estímulo incontenible. De las regiones pobres y desesperanzadas de Portugal, especialmente en el norte, saldrán crecientes caravanas de viajeros hacia ultramar.

Y, buscando destino, estos migrantes optarán por el Brasil. Pues aunque las condiciones naturales para la vida europea serán poco favorables en la América portuguesa, las condiciones políticas y económicas serán mucho mejores que en los Portugales de África y Asia. Mientras en el espacio del Índico se ha establecido una sociedad militar, dominada por la gran nobleza, muy alejada de Europa y en permanente conflicto con los sultanes locales, en las costas americanas va creciendo una sociedad comercial y rural, de estructura social laxa, relativamente cercana y con pocos enemigos exteriores, como no sean las otras potencias europeas. Es un mundo más cercano, más conocido y más permeable. Así es que para 1584 en el Brasil vivían ya 25.000 blancos, sobre una población estimada en 57.000 almas.

Paso a paso con esta inmigración europea, el Brasil reclamará esclavos. Y el imperio portugués los proveerá desde el África.

Ya sabemos que la mentalidad esclavista portuguesa era de vieja cuna y que el voluminoso negocio estaba protegido por la Corona, perdonado por la Iglesia y desarrollado con factorías, naves, técnicas y códigos comerciales apropiados. Nada era espontáneo ni casual.

Los puntos estratégicos de la costa occidental africana se habían convertido en "entrepostos" (grandes almacenes) de concentración y trueque. Salían esclavos sudaneses, senegaleses, mandingas y nigerianos que se concentraban en Santo Tomé y Príncipe y en la isla de Santiago en el archipiélago de Cabo Verde. Y todo este movimiento recibirá luego dos grandes impulsos al compás de la expansión portuguesa en África: al establecer relaciones de amistad con el reino Congo en 1483 y al radicarse el poder portugués en Angola mediante la fundación de Luanda en 1575.

Este remolino de seres humanos que tiene como epicentro al golfo de Guinea no es un comercio de pura exportación. Al principio, muchos de los esclavos reunidos en Santo Tomé vuelven a la misma costa africana, a ser canjeados en la gran factoría de San Jorge Mina por oro proveniente del centro del continente. Es que el esclavismo portugués se aplica en un continente donde la esclavitud es ley y otros reyezuelos de tierra adentro también se interesan en el producto humano, que están dispuestos a pagar con oro. En estos movimientos, los esclavos parecen, más que un producto de exportación, una verdadera moneda internacional de los lusitanos.

Y aunque los criterios actuales sobre la esclavitud y los derechos humanos eran perfectamente impensables en el siglo XVI, semejante banalización de la vida humana debía chocar de alguna manera con los principios cristianos y la misión evangelizadora que la Corona portuguesa enarbolaba. Digo la Corona y no la Iglesia, porque aquella clerecía lusitana mundana y prerreformista no tendría nunca el espíritu de cuerpo y la claridad ética necesarios para condenar estas prácticas o, al menos, amenguarlas.

La cuestión se planteó en el Congo y es ejemplar. Con la mejor disposición, aquel reino analfabeto pero con cierto grado de organización social y política se dispuso a la conversión. El rey Nzinga Nvemba, bautizado Afonso I y que gobernó de 1506 a 1543, realizó sistemáticos esfuerzos para extender la conversión, solicitó y recibió misioneros lusitanos y procuró combatir a sus enemigos mediante un apoyo militar de D. Juan III que el rey portugués otorgó con singular desgano.

Pero frente al ánimo evangelizador del rey congolés y al empeño de algunos oficiales reales y clérigos voluntariosos, se alzó enseguida la conveniencia económica de los traficantes de esclavos, que no pudieron sustraerse a la tentación de un gran yacimiento de negros pacíficos y laboriosos. El conflicto se iba a resolver en contra del Evangelio y a favor de la bolsa y así, "la razón fundamental de la falla definitiva del comienzo prometedor de la civilización occidental en el Congo fue, sin sombra de duda, la estrecha ligazón que rápidamente se desarrolló entre los misioneros y los traficantes de esclavos".[18] Este fracaso le permite a Boxer darnos una fórmula redonda: "Sintetiza, de una forma extraordinaria, la dicotomía que imposibilitó la aproximación portuguesa a los negros africanos durante tanto tiempo; el deseo de salvar sus almas inmortales asociado con el ansia de esclavizar sus cuerpos vivos".

Este revuelvetripas portugués se contrapone a la precisión castellana e ilumina por contraste las causas del éxito en la evangelización y el nacimiento de las sociedades mestizas en la América española. Ahora se puede ver, mejor aun que cuando traté el tema en *La Argentina renegada*, hasta qué punto la decisión antieconómica de los Reyes Católicos de prohibir la esclavitud de los indios estaba fundando una civilización basada en una ética con miras largas. Protegidos de la esclavitud, los indígenas americanos podrían sufrir a los castellanos como sus amos pero no como sus enemigos, y en ese matiz decisivo se fundaría un encuentro, una fusión. De su lado, mientras los esclavistas portugueses miraban a los africanos como objetos de tráfico, cuyo futuro les era perfectamente indiferente una vez cobrado el precio, los encomenderos hispanos tenían interés propio en conservar el capital humano que la Corona les confiaba para siempre.

Desde el punto de vista político, la "dicotomía" portuguesa en el Congo estaba agregando otro dato. Con su desgano para atender las demandas militares del rey Nzinga Nvemba, su opción por una ocupación privatizada del Brasil y su decisión de abandonar algunas plazas marroquíes por no poder mantenerlas, D. Juan III estaba confirmando la desproporción abismal entre los compromisos políticos que había heredado con el Imperio Andante y las posibilidades del magro Estado lusitano. Y cuando los portugueses dejan escapar entre los dedos la posibilidad cierta de fundar una civilización mestiza en el Congo, están renunciando al imperio territorial de estilo castellano en procura de preservar su imperio marítimo. Lo que los españoles están haciendo en América, los portugueses lo dejarán de lado en África, en una situación casi simétrica.

Y no se trata aquí de hacer un proceso de intenciones, pues la historia es una concatenación de continuidades que no puede torcerse a voluntad y con un gesto. Lo que importa es observar que este Portugal que no quería y acaso no podía construir una civilización territorial era el mismo que estaba desembarcando en el Brasil. Esto es tanto como decir, confirmando la hipótesis que se viene perfilando, que la tierra americana será portuguesa no por la voluntad fundadora de la Corona lusitana, sino por la obra propia de los portugueses del Brasil.

Lo que se frustró como imperio territorial, se hizo sangre del imperio marítimo. Las inmensas poblaciones negras del Congo y de Angola entraron sin ambages en el tráfico esclavista, que pronto tuvo tres destinos internacionales: Lisboa, el Brasil y las Antillas españolas. En éstas, la incompetencia e intangibilidad de la población autóctona funcionó de cepo para el desarrollo agrícola, que también se empezaba a beneficiar de la caña de azúcar, llevada desde las islas Canarias. Era un desarrollo paralelo al del Brasil, aunque más lento.

Pero las Indias españolas pagaban los esclavos con oro y plata de México y Perú, alimentando al exangüe imperio portugués con estos críticos recursos monetarios. Para competir con semejante atractivo, los plantadores brasileños lograron alinear tres productos relativamente codiciados por los reyezuelos africanos: azúcar, aguardiente y tabaco. Estas monedas de pago españolas y brasileñas potenciarían la construcción esclavista del África portuguesa, afirmando y definiendo para siempre su destino factoril, comercial y violento.

El tráfico se acompasó. Los 14.000 esclavos negros que había en el Brasil hacia 1583, se volvieron 120.000 en 1600, según las cuentas del maestro Magalhães Godinho, lo que resulta consistente con el cálculo de Boxer de una llegada anual de entre 10.000 y 12.000 esclavos africanos al Brasil para esa época. Este gran impulso tenía que ver con el progreso de los trabajos paralelos: el crecimiento de las plantaciones brasileñas y el perfeccionamiento comercial-esclavista en África. Como un afortunado arquitecto que va construyendo de consuno los dos extremos de un puente, Portugal estaba edificando su reino del Atlántico. Y suturando en su provecho el tajo del mundo ibérico entre el Índico portugués y el Pacífico español.

En este punto de armonía el esfuerzo portugués tropezó con el desastre de Alcazarquibir. Y la derrota militar en Marruecos puso al desnudo la endeblez de Lisboa, la vacancia política y militar del inmenso imperio y la insuficiencia dramática de moneda, que había dispersado la soberanía económica de la Corona. De estas tres carencias se haría cargo un nuevo protagonista imperial, el otro nieto de D. Manuel, nuestro conocido Felipe II de España, el Gran Rey.

"Yo lo heredé; yo lo compré; yo lo conquisté". Con esta definición cabal Felipe II entró en Lisboa. Muerto sin sucesión

D. Sebastián en Alcazarquibir en 1578, ocupó el trono su viejo tío D. Enrique, que apenas gobernó dos años. En el segundo de ellos, una polifacética operación diplomática, financiera y militar envolvió a la Corona lusitana; en el centro de la telaraña, inmóvil en su cámara de El Escorial, tensaba los hilos el mayor político del siglo. Felipe tenía los títulos que el mismo D. Enrique moribundo le reconocería, tenía los mayores dineros de la cristiandad y los más poderosos ejércitos.

La arremetida filipina no era oportunista. En lo milenario, refundaba el sueño de la unidad ibérica que había estado muy cerca ochenta años antes, cuando D. Manuel se casó con la hija mayor de los Reyes Católicos y tuvieron un hijo, D. Miguel de la Paz que, de haber vivido, habría heredado todas las Coronas en lugar de su primo menor, el futuro Carlos V. En lo secular, le daba al Gran Rey el instrumento de su último sueño fundador: completar la marcha de "Occidente" desde el Mediterráneo hacia el Atlántico. Lo que significaba cerrar el tajo del Atlántico y rodear a todo el globo con una faja ibérica imperial; el más acabado sueño de un imperio mundial que haya conocido cualquier época, antes o después de Felipe II.

La legitimidad milenaria de la unión ibérica y el sueño secular de un imperio mundial dieron a la entrada de Felipe en Lisboa un sentido de perennidad que debió parecer obvio a todos los protagonistas. Las dificultades de armonización entre los dos reinos no serían mayores que las aún pendientes entre Castilla misma y Aragón y nadie las podía considerar obstáculos definitivos. Me parece cardinal entender esta mirada de los coetáneos que es la que informa las decisiones políticas, económicas y militares de entonces. Felipe, los jerarcas de su Estado Universal, la nobleza y la burguesía portuguesas y los pueblos del imperio —las Españas y los Portugales de América, África y Asia—, empezaron a amoldarse a la nueva situación y a trazar sus vidas como si la unión fuera para siempre. Así, el imperio portugués condicionaría la política filipina, pero las decisiones del Estado Universal entrarían en la carne del mundo lusitano. Empezaba la simbiosis. Una simbiosis que por los dictados de la geografía y de las finanzas tendría frutos principales en América del Sur, por aquí.

Felipe "compró" Portugal con "las balas de plata mexicana". Con su peculiar sentido de la oportunidad y abocados a la supervivencia, los dirigentes portugueses pactaron el reconocimiento de los derechos del rey Felipe a cambio del acceso al metal precioso americano. Lo he explicado con detalle en *La Argentina renegada* según las novísimas tesis de Magalhães Godinho. La superpotencia española tenía los recursos monetarios que podían rejuvenecer las arterias comerciales del imperio marítimo. Y los dirigentes portugueses que en la estrategia de fuga hacia adelante habían sufrido el revés fatal de Alcazarquibir —por lo que debían sentirse a las puertas de una completa desintegración económica y política— negociaron con particular habilidad la protección del Gran Rey. Con tanta habilidad que estaban transformando su derrota en una victoria.

La simbiosis económica que resultaría de esta "compra" no debe enturbiar la visión de la venidera simbiosis política y administrativa. En un mundo en que la Inglaterra de Isabel se despertaba como potencia marítima y los holandeses lograban tener a raya a los temibles "tercios" españoles, sólo la gigantesca capa española parecía blindaje suficiente para el imperio marítimo, sobre todo después que en el delirio de D. Sebastián se hubiese pulverizado el limitado poder militar portugués.

Es conveniente mirar esta realidad sin prejuicios, como lo hacen Serrão y muchos historiadores modernos, para comprender que la monarquía dual fue una solución de defensa del imperio marítimo en la que los españoles habrían de poner mucha garra. Porque los historiadores nacionalistas portugueses gustan decir que fue la unión dinástica lo que transformó en enemigos del imperio marítimo a los enemigos naturales de España. En 1580 Inglaterra y Holanda debían completar su crecimiento atacando el comercio mundial ajeno, quienquiera fuese su propietario, y si la monarquía dual no hubiese existido es seguro que el despiece del imperio marítimo portugués habría sido igualmente feroz pero seguramente más rápido. En la "compra" de la Corona portuguesa, Felipe también estaba comprando la debilidad del gigantesco imperio.

El Gran Rey, asistido por su burocracia eficiente y dotado del mejor servicio de inteligencia del mundo, no podía ignorar estas realidades. Para resolverlas tomó dos caminos. Uno militar: aplastar la rebeldía holandesa con el genio militar de Alejandro Farnesio y la expansión inglesa con la Armada Invencible. El otro, político: apurar las reformas administrativas en el imperio portugués para ponerlo a tono con su Estado Universal. Ésta fue la base de la simbiosis administrativa.

La simbiosis económica alcanzó su punto de excelencia en el Atlántico, el Mar del Norte de la época, y se internó tierra adentro por las comarcas americanas. Vamos a mirarla desde distintos puntos de observación.

El Brasil azucarero tomó un impulso fantástico. Tenía 60 ingenios de pequeña capacidad y rendimiento en tiempos de D. Juan III, 118 en 1583 y 235 grandes establecimientos en 1628. Con este empuje, el Brasil era ya el mayor productor mundial de azúcar a la muerte de Felipe II, en 1598. Durante los veinte años de gobierno de este primer monarca dual la población brasileña se cuadruplicó, tanto por la emigración creciente de portugueses europeos como por la masiva llegada de esclavos africanos.

La demanda de esclavos para la industria azucarera, la legalización de su introducción en la América española y el desplazamiento de los monopolistas genoveses en favor de los proveedores portugueses, consolidaron definitivamente la ocupación portuguesa de la costa africana del Atlántico, con sus puntos fuertes en la Costa de Mina, el Congo y Angola. Y ese tráfico podía ser pagado ahora, de manera legal, con los metales preciosos americanos y los productos brasileños tradicionales. Empezaba a funcionar el pistón esclavos-por-plata que impulsará el desarrollo económico de este "reino del Atlántico" hasta mediados del siglo siguiente.

Pero el Brasil azucarero estaba confinado en las regiones del norte, las más cercanas a los mercados europeos, con especial énfasis en Pernambuco. Fuera de Pernambuco y Bahía, la América portuguesa era escuálida. En 1585, mientras en la región de Olinda —capital de Pernambuco— vivían 2.000 familias portuguesas, en la perdida Río de Janeiro sólo había 150, al amparo de apenas tres ingenios azucareros.

Pero si los portugueses de 1580 pensaban que la compra del reino la había hecho Felipe con "balas de plata mexicana" es porque todavía subestimaban otro dato que sería revolucionario para la simbiosis en ciernes. Por entonces, el gobierno fundador de D. Francisco de Toledo había transformado al Perú en una máquina poderosa y en 1578 había podido enviar a Felipe II el mayor cargamento de plata del Nuevo Mundo, iniciando un ciclo que duraría medio siglo gracias a los descomunales trabajos de Huancavélica y Potosí. Si Portugal pensaba en la lejana plata mexicana, la América portuguesa descubriría muy pronto que un río de plata aun más caudaloso bajaba de los Andes, con un retumbar seductoramente vecino.

Toledo y el oidor Matienzo, su mentor, habían impulsado otra providencia sumultánea: fundar en las costas del "río de la plata" un puerto de cara al Atlántico. Correspondió a D. Juan de Garay cumplir esta directiva en ese año umbilical de 1580, dando nacimiento efectivo a nuestra ciudad de Buenos Aires.

La plata de Potosí y el puerto de Buenos Aires iban a entrar en la simbiosis económica de modo inevitable. Sólo hacía falta que los diestros comerciantes portugueses descubrieran la gigantesca brecha. Sucedió enseguida y con tal ímpetu que, como he contado en *La cortina de plata*, Buenos Aires y todo el espacio del Río de la Plata basculó hacia el dominio económico, social y cultural portugués, aunque conservando intacta su lealtad política a Castilla y al Perú. Sólo la simbiosis de la monarquía dual podía permitir estas ambigüedades, que culminarían hacia la década de 1620.

Pero lo que ahora nos interesa es que la plenitud de la arteria de plata que bajaba de Potosí a Buenos Aires cambió los ejes de desarrollo de la América portuguesa. Si el Río de la Plata se aportuguesó, el sur del Brasil se peruanizaría. Y el modesto villorrio de Río de Janeiro y su hinterland adquirirían un impulso, un trepidar y un destino estrechamente ligados al mundo español sudamericano. Digo más y digo mucho: la "cortina de plata" que dividió a la Argentina en dos corriendo entre Cuyo y las Misiones, se prolongaría hacia el norte, dividiendo también al futuro Brasil en dos regiones de orígenes y modos diferentes.

La región de San Vicente, con su centro en Río de Janeiro y su eje de expansión hacia los planaltos paulistas, tomará impulso como la contraplaca giratoria del Río de la Plata. Por allí bajarán hacia el Plata los esclavos angoleños destinados al Perú y remontará hacia el imperio marítimo la vivificante plata potosina. Y recién entonces la dirigencia portuguesa tendrá los motivos y los músculos para empezar a empujar hacia el oeste la rígida línea de Tordesillas que le daba en las narices a Río de Janeiro.

El reino del Atlántico era el vástago y la llave de la monarquía dual, del Imperio Ibérico. Sólo con la unión dinástica de España y Portugal se había reunido la legitimidad y la fuerza para cerrar el tajo del imperio universal y construir sobre esa cicatriz un ámbito privilegiado de riqueza y progreso:

1. El África portuguesa, aquella inmensa costa occidental desde Senegal hasta Angola, tenía en los mercados esclavistas del Brasil azucarero, de las Antillas españolas y del Río de la Plata como puerta del Perú, un enorme espacio económico de crecimiento continuo.

2. El Brasil antiguo, el del Norte, disponía de una provisión regular de mano de obra africana y una protección militar y política suficiente para prosperar sin sobresaltos.

3. El Brasil nuevo, el del Sur, medio platino y medio peruano, había encontrado en el drenaje de la plata peruana de Potosí una función dinámica y lucrativa, colocándose en el centro del pistón esclavos-por-plata que nutría a la América andina mientras irrigaba de dinero español las arterias lusitanas.

4. El Río de la Plata, tierra de olvido en el extremo sur del Nuevo Mundo, descubría y capitalizaba su ubicación de privilegio entre la gran avenida mundial del Mar del Norte y el ubérrimo Perú. Buenos Aires vivía de un destino geoestratégico inimaginable para sus fundadores apenas medio siglo antes.

Pero toda esta unidad funcional del mundo atlántico que habían inventado portugueses y españoles y que estaba dando sentido y futuro a las lejanas aldeas de Río de Janeiro y Buenos Aires, dependía de la unión dinástica. Mientras perviviera el pacto histórico entre Felipe II y la dirigencia portuguesa, el Reino del Atlántico era posible, por muy duro que golpearan los ataques de las nuevas potencias marítimas. Así fue hasta 1640.

5. La guerra mundial

Empardada la batalla política y militar del Atlántico, ni los arranques postreros de Felipe II ni la combinación de fuerza y pacifismo de su hijo Felipe III, que reinó sobre el múltiple imperio entre 1598 y 1621, pudieron evitar la generalización del conflicto. Sólo habían logrado postergarla.

Simultáneamente, la recuperación de Francia bajo el reinado de Enrique IV (1589-1610), la aparición de Suecia como una potencia militar y la consolidación del poder de los Habsburgo de Austria en el medio de Europa precipitaron otro conflicto por el control del amplio espacio alemán. Debido a los compromisos dinásticos en tanto Habsburgo, la vastedad de sus dominios continentales y su misión de protector del equilibrio europeo, Felipe III no podría quedar ajeno a ese conflicto. Empezaba lo que los europeos llaman Guerra de los Treinta Años (1618-1648).

Así, cuando Felipe IV sucedió a su padre en 1621 y encargó el ministerio al conde-duque de Olivares, su imperio ibérico estaba combatiendo en dos frentes: la guerra europea contra los protestantes, los suecos y poco después los franceses y la guerra mundial contra las nuevas potencias marítimas, Inglaterra y Holanda. Como dice Boxer, "Una vez que las posesiones ibéricas estuvieron repartidas por todo el mundo, la lucha subsecuente se trabó en los cuatro continentes y en los siete mares y esa lucha seiscientista merece mucho más ser llamada Primera Guerra Mundial que el holocausto de 1914/18 a que generalmente se atribuye esta dudosa honra"[19].

Y españoles y portugueses, codo a codo, tuvieron que enfrentar en todas partes los golpes de las potencias emergentes. "La batalla se trabó no sólo en los campos de Flandes y del Mar del Norte, sino también en regiones tan remotas como el estuario del Amazonas, el interior de Angola, la isla de Timor y las costas de Chile. Las presas incluían el clavo de la India, la nuez moscada de las Molucas, la canela de Ceilán, la pimienta de Malabar, la plata de México, Perú y Japón, el oro de Guinea y de Monomotapa, el azúcar del Brasil y los esclavos negros del África occidental."

Inglaterra y Holanda despachaban desde sus puertos nacionales del Atlántico corsarios, flotas militares y expediciones de conquista a los siete mares. Llegaban a todas partes, pero el corredor natural de la guerra era ese Atlántico plural al que se asomaban todos los contendientes, que mojaba todas las metrópolis y por donde circulaba la crema del comercio mundial.

El debate historiográfico que ya hemos esbozado es si la inserción de Portugal y su imperio en esta guerra era una consecuencia de la monarquía dual o si Inglaterra y Holanda atacaban a las factorías portuguesas por un impulso expansivo que igual se hubiese presentado si Portugal no hubiera estado integrado con España. Así presentado es un debate infértil.

Prefiero este otro enfoque: en aquel mundo en crecimiento, un vasto imperio de ultramar debía entrar, forzosamente, en los continuos ajustes de poder y espacios territoriales; nadie podía ser un tranquilo rentista de glorias pasadas. Las potencias mundiales debían tener una política europea. Al unirse con España, Portugal tuvo la política europea española, con sus ventajas y perjuicios, y es probable que la elección de 1580 fuese la mejor posible, incluso la única. Luego, cuando recuperada su independencia Portugal pretende continuar su rol de potencia de ultramar, no tendrá más remedio que buscar la protección de otro grande europeo y éste será Inglaterra, al precio de entregar virtualmente su soberanía económica por el acuerdo que le abre los puertos brasileños en 1654.

En el punto de hipertrofia a que había llegado el imperio lusitano en 1580 éste no podía sobrevivir sin un protector europeo de primera magnitud. Lo fue España entre 1580 y 1640 como lo será Inglaterra entre 1654 y la independencia del Brasil, un siglo y medio después.

En la primera mitad del siglo XVII la guerra se globalizó. Entre 1618 y 1648 los ejércitos españoles cruzaron Europa enredados en esa Guerra de los Treinta Años que marcaría el fin del predominio ibérico en el viejo mundo. Y, simultáneamente, las nuevas potencias marítimas asaltaban el vasto imperio ultramarino, eligiendo los puntos más débiles que serían, prioritariamente, los portugueses.

Esta prioridad no es caprichosa. Ingleses y holandeses combatían desde el mar y estaban equipados para atacar las rutas marítimas y sus puntos de apoyo, vale decir, apoderarse del diseño imperial portugués que se había construido con esas mismas reglas. A los atacantes de ultramar les era muy difícil, en cambio, arremeter contra los sólidos reinos territoriales españoles con sus inmensos espacios de cordilleras y llanuras ocupados por una civilización mestiza de fuerte arraigo y minuciosa organización. Pero cuando una dependencia española cumplía las calidades marítimas, los atacantes la embestían con igual empeño que si fuera portuguesa, como sucedió con las Filipinas.

Pero no harían pie en las Filipinas ni en la mayoría de las costas españolas, pues en la defensa de los reinos de ultramar también tendría su parte la calidad de las respectivas organizaciones ibéricas. A pesar de sus reconocidos esfuerzos, los reyes españoles no habían podido modificar estructuralmente la debilidad estatal y militar lusitana y los resultados se verían enseguida.

Todas las potencias europeas ansiaban poner su mano sobre las nuevas riquezas del reino del Atlántico. Los tempranos intentos de Francia a mediados del siglo anterior habían sido acompañados por la protesta inglesa contra el monopolio esclavista portugués desde el reinado de D. Juan III. Y los riquísimos cargamentos de azúcar brasileño fueron las primeras presas de los corsarios holandeses e ingleses ya a fines del siglo XVI, cuando aún vivía Felipe II. Por fin, en 1624 los holandeses ocuparon San Salvador de Bahía, la capital misma de la América portuguesa.

El ataque a Bahía inauguraba treinta años de presencia holandesa en el Brasil, pero estaba concebido dentro de una ofensiva general contra el reino del Atlántico, en ambas márgenes del océano. Porque por la misma época, las flotas de guerra holandesas martillaban sin descanso toda la costa africana, ocupando uno tras otro los asentamientos portugueses. El ingenioso artefacto atlántico, con su fuente de esclavos en África, su agricultura azucarera en Pernambuco y la triangulación comercial y política con Lisboa estaba siendo demolido por las nuevas potencias, enemigas de la monarquía dual.

Felipe IV, su célebre ministro Olivares y el aparato del Estado Universal reaccionaron con vigor. Pero lo que es más sugestivo es que estas reacciones de la cúpula fueron acompañadas y a veces sobrepasadas por las respuestas de los pueblos del imperio, especialmente donde había alcanzado a arraigar la concepción de la soberanía territorial por encima del viejo principio de la soberanía marítima.

La ocupación holandesa de Bahía fue rechazada en pocos meses. Decididos a apoderarse del mayor proveedor mundial de azúcar, los holandeses volvieron a atacar en 1630 con recursos cuantiosos, lo mejor de sus ejércitos y un sentido fundacional que encarnará el gobernador Juan Mauricio de Nassau, noble del mejor linaje y brillante estadista. Nassau enfrentó una tenaz resistencia a la expansión de la cabecera de puente holandesa y fracasó en sus intentos de ocupar Bahía. Pero actuó con una clara comprensión de la dinámica del mundo atlántico: él mismo organizó los ataques a los puestos africanos que conquistaron la legendaria fortaleza de San Jorge Mina y los más nuevos yacimientos de esclavos en Angola.

La resistencia de los brasileños fue sistemática. Se la ha explicado con argumentos económicos, religiosos y culturales, dándose de cada uno pruebas contundentes y anécdotas pintorescas. Pero sin necesidad de entrar en este debate, la misma variedad de los impulsos nos indica que es el embrión de la civilización brasileña lo que está rechazando, en bloque, a la radicación intrusa. Y decimos brasileña a propósito.

Pareciera que los portugueses del Brasil ya tenían hacia 1630 conciencia de sus intereses, de su identidad y de su relativa soledad respecto de Lisboa. Habían nacido de aquella privatización del territorio impuesta por el gigantismo del imperio marítimo. Construyeron un país agrícola en el norte y uno comercial en el sur, ambos ·de importancia estratégica a escala internacional. Y se habían desentendido del corset de la línea de Tordesillas gracias a la paternal ambigüedad de la doble Corona.

Más aún. Habían encontrado en los años de monarquía dual una legitimación de su espíritu colonizador en el pensamiento de la política castellana. Y un reconocimiento de su importancia en la decisión de Felipe IV de enviar al marqués de Montalván como primer virrey para enfrentar adecuadamente a los holandeses del conde de Nassau. Cuando en América sólo existían los virreinatos de Perú y México, el rey español daba la misma jerarquía mayor al territorio de la América portuguesa. Y para colmo de evidencia, cuando poco después Felipe IV pierda el control de Portugal, los nuevos reyes Braganza anularán esa jerarquización y el Brasil deberá esperar ciento treinta años hasta que Lisboa le vuelva a enviar un virrey con todos sus títulos.

El Imperio Universal de Felipe IV, "el Rey Planeta", perdió la guerra mundial de los Treinta Años. Y los ataques de las potencias marítimas a las posesiones portuguesas más débiles junto con el enorme esfuerzo de guerra que imponía a la metrópoli el incendio europeo, precipitó la ruptura de la monarquía dual. En 1640 el duque de Braganza se proclamó rey de Portugal con el nombre de Juan IV.

La ruptura aportaba a Portugal la esperanza de alejarse de la guerra europea y concentrarse en proteger su imperio ultramarino. Era una esperanza infundada, porque las nuevas potencias marítimas siguieron atacando sus factorías y "entrepostos" aunque ya no tuvieran la excusa de la lucha contra España. Para peor, como Felipe IV no aceptó la secesión, Portugal tuvo que soportar también la guerra con España, que duró la friolera de veinticinco años. La ruptura le significó a España reducir sus compromisos de ultramar a la defensa de sus propios reinos, que tanto en América como en las Filipinas eran de más sólida factura, pero le agregó la hemorragia de la infructuosa guerra para reconquistar la Corona lusitana.

Con la proclamación de Juan IV en 1640 las dos Coronas ibéricas quedaron separadas de hecho aunque los reconocimientos recíprocos hubieran de esperar casi treinta años. Y se extinguió el sueño de la unión ibérica y el diseño geoestratégico del Imperio mundial. Y mientras España y Portugal ya golpeadas por sus adversarios se apocaban con sus ataques recíprocos, la malla más frágil de la cadena, el Reino del Atlántico, se despedazó. El tajo que desvelaba a Felipe II y que creyeron suturar su hijo y su nieto se había vuelto rumbo. Un rumbo por donde corría, caudalosa, la energía de la nueva Europa.

La guerra mundial y la ruptura ibérica le significaron a Portugal perder la batalla del Asia, igualar la del África y afirmarse en sus posesiones americanas. Para España, implicaban empezar su lenta retirada de Europa a cambio de conservar intacto su imperio ultramarino. Así, los futuros forcejeos entre Portugal y España quedaban naturalmente confinados al Nuevo Mundo. Para la historia futura del Brasil y la Argentina, ésta sería la mayor herencia de aquel estallido.

Pero hay dos más que tienen que ver con estas preguntas: ¿Por qué a Portugal le fue mejor en América que en Asia o África?; ¿qué significó para el Brasil la ruptura de la monarquía dual?

Ya está esbozada la respuesta a la primera pregunta. Portugal se defendió en todas partes y siguió negociando y combatiendo con los holandeses y los ingleses mucho tiempo después de la ruptura con España. Pero sus reacciones fueron verdaderamente eficaces en América, donde toda la sociedad se movilizó para expulsar a los invasores. Eran los portugueses de América los que defendían su identidad con tanta decisión y tantos recursos que el gobierno de Río de Janeiro se permitió despachar al África, en 1648, una expedición militar que reconquistó Luanda y salvó a Angola de la dominación holandesa. Cuando en enero de 1654 capitularon las últimas posiciones holandesas en Pernambuco, la América de los portugueses estaba salvada e intacta. Pero los méritos eran mucho más de los portugueses americanos que de Portugal mismo.

A partir de esos acontecimientos, la relación del reino europeo con su enorme colonia americana ya no sería la misma. La sujeción del Brasil a los dictados de Lisboa quedaría por siempre laxa, tormentosa. El Portugal americano empezaba a ser él mismo en una época muy temprana.

La segunda pregunta tiene una respuesta bifurcada. Porque en 1640 había dos Brasiles: uno en el norte, entre Bahía y

Pernambuco, sostenido por el esplendor azucarero, atacado y tentado por la potencia holandesa, estrechamente unido al mercado mundial de manera directa, florón y eje del Reino del Atlántico. Otro en el sur, hijo primordial de la monarquía dual, nuevo, comerciante y atado a la órbita del Perú español a través de la falla del Río de la Plata con su ombligo en Buenos Aires.

El Brasil del norte se acomodó con lisura a la nueva situación política e internacional. El del sur sintió que había perdido su destino.

Este Brasil del sur es la creación más específica de la monarquía dual y sus rasgos corresponderán como un calco a los que va adquiriendo, por el mismo movimiento, el Río de la Plata. Nacerá comercial y expansivo, sostenido por los esfuerzos individuales, aun más autónomo respecto de la autoridad imperial y los gobernadores coloniales y convencido de que su salud está en el cosmopolitismo. Es una sociedad poco afecta a las fronteras, las regulaciones y las culpas.

Y tendrá, igual que el Río de la Plata, protagonistas distinguidos por su empuje y desenfado. Si en Buenos Aires D. Diego de la Vega a la cabeza del partido lusitano llegará a dominarla hasta hacer decir al gobernador Diego de Góngora en carta al rey de 1619 "existiendo este hombre en esta tierra, no es poderoso ningún gobernador", una equivalente contrafigura hispanófila la encontraremos en el Brasil: D. Salvador Correia de Sá e Benevides.

"Medio español de sangre y por el casamiento, por las amistades y por los grandes intereses que poseía en la colonia del Plata..."[20] era Salvador Correia de Sá, hacia el final de la monarquía dual, "o maior senhor de terras e escravos em todo o Brasil". Acumulaba en sus manos junto a su inmensa fortuna la condición de aliado incondicional de los jesuitas y el cargo de gobernador de Río de Janeiro y toda la región.

Cuando en febrero de 1641 llega a Bahía la noticia de la proclamación del duque de Braganza como nuevo rey de Portugal y la consecuente ruptura de la monarquía dual, el poderoso "partido español" de San Pablo y Río, con figuras como los Camargo y Amador Bueno da Ribeira, se encolumnará tras el gobernador para una prolongada vigilia. Sólo cuando el propio virrey nombrado por Felipe IV, el marqués de Montalván, tras largos cabildeos y consultas decide reconocer al nuevo monarca, Sá hace lo propio.

Pero el alineamiento del partido español en el reconocimiento a la Casa de Braganza se hace con la abierta expectativa de conservar los vitales negocios rioplatenses. A tal punto que al hacer la proclamación, Sá despacha una comunicación al gobernador de Buenos Aires con la esperanza de que la ciudad también se alinee en la lealtad a los Braganza, lo que habría significado la legitimación política de las alianzas económicas... y la transformación de todo el Río de la Plata en un territorio portugués.

Ante la reacción airada y casi brutal de Buenos Aires, Salvador Correia de Sá propone a la Corona portuguesa otro camino, que muestra cuál es el grado de la dependencia brasileña respecto del Plata: en 1643 impulsa la conquista militar de la ciudad, con una flota de guerra y el auxilio de los bandeirantes paulistas por tierra. A sólo dos años de la ruptura de la simbiosis política en América del Sur, la dirigencia brasileña del sur imagina, por primera vez, que una ocupación militar de todo el Río de la Plata es posible, legítima y necesaria. Esta doctrina hará escuela.

Y tres "rioplatistas" lusoamericanos adquirirán un enorme predicamento en el nuevo gobierno de los Braganza en Lisboa. El padre Antonio Vieira se convertirá en consejero privilegiado de la Corona por añares, el mismo marqués de Montalván, restaurado en sus prerrogativas luego de un período de sospecha, será nombrado presidente del Consejo Ultramarino, recién creado por D. Juan IV, y en esas funciones será acompañado como consejero por Salvador Correia de Sá, nombrado simultáneamente Capitán General de Río de Janeiro.

Y Sá, campeón inalterable de la apertura hacia el sur, dedicará el resto de su vida a impulsar las iniciativas rioplatenses de Portugal y del Brasil. Propondrá la creación de una nueva Capitanía General con sede en Santa Catarina y jurisdicción hasta el Plata, participará en las nuevas iniciativas de conquista militar que impulsa Antonio Vieira en 1648, y en 1675 terminará pidiendo y obteniendo para su nieto, el vizconde de Asseca, una donación real que incluye la región rioplatense.

Todo esto está mostrando hasta qué punto el Brasil del sur, virtualmente inexistente en 1580, había adquirido en los sesenta años de monarquía dual, comercio masivo de plata y esclavos y amalgama con el mundo peruano a través del remolino rioplatense, un formidable peso económico, político y cultural.

Y hasta es posible medir el significado económico de esa amalgama para la vida del nuevo Brasil. Los datos directos son numerosos, pero todavía confusos. En el lado español y peruano la información estaba siempre abrumada por la ilegalidad, la hipertrofia del contrabando y la complicidad de los oficiales reales, incluso algunos gobernadores del Río de la Plata. En el lado portugués y brasileño los datos tienen el desorden de la desorganización lusitana más el poquísimo interés de los protagonistas en revelar la intrincada maraña que se extendía desde la costa africana hasta Potosí, dejando cuantiosas utilidades a los Vega y Correia de Sá con su red mundial de banqueros y comerciantes asociados.

Pero los testimonios indirectos son concluyentes. El arrendamiento de los diezmos de Río de Janeiro —una práctica corriente por la cual la Corona privatizaba la recaudación impositiva a cambio de un precio fijo— se cotizaba entre 110.000 y 155.000 cruzados en los últimos años de la monarquía dual y descendió a 100.000 para 1641/43 y a 77.000 para el trienio siguiente. La declinación continuaría, y en 1665 el valor sólo alcanzaba a 66.000 cruzados.[21] Esto es tanto como decir que la economía del Brasil platino había perdido la mitad de su vigor a sólo veinte años de la ruptura dinástica.

La escisión de la monarquía dual marca el punto crítico de la dispersión ibérica. Desde allí, combatiendo entre sí y contra los enemigos respectivos, España y Portugal procurarán retomar el control de los pedazos que han quedado flotando tras el estallido. Y buscarán nuevas políticas internacionales e imperiales para adaptarse a la realidad de un mundo multipolar que durará hasta las guerras napoleónicas, un siglo y medio después.

Pero este proceso de diáspora y reagrupamiento no podía hacerse contra la corriente de las nuevas realidades. Y tal imposibilidad condena especialmente a los hijos de la monarquía dual, aquellos cuya vida, funciones y destino se habían gestado en y para la unión ibérica. En ese cono de imposibles quedarán colocados el Brasil platino y el Río de la Plata atlantista. Lo entendieron enseguida los protagonistas, como lo confirman los tempranos impulsos conquistadores de los brasileños que acabamos de recordar.

Desde el ahora podemos imaginar con cuánta angustia habrán seguido esos acontecimientos los dirigentes de Río de Janeiro y Buenos Aires. Y cómo habrán sopesado la contradicción fundacional de necesitar tanto al otro que acababa de volverse el principal enemigo.

La monarquía dual había fundado el eje cosmopolita, dinámico y atlántico de Río de Janeiro y Buenos Aires. Y sus dos zonas de influencia, el Brasil platino y el espacio rioplatense, habían crecido acaso bilingües, pero integradas. La ruptura política de las metrópolis quebraba las bases de la simbiosis económica, humana y hasta cultural. Y la naciente enemistad hispano-portuguesa las obligaba a asumir una agresividad política que estaba en contra de su mejor destino.

Este nudo de necesidad recíproca y enfrentamiento mandado marcaría de aquí en adelante la vida de las dos regiones con una proyección a través del tiempo que acaso llegue hasta nuestros días. Los genes más emprendedores, cosmopolitas y rebeldes de la Argentina y el Brasil habían nacido de la monarquía dual y su estallido.

81

6. El Brasil platino

La ruptura de la monarquía dual y los resultados de la guerra mundial obligaron a la América portuguesa a redefinir y asentar su modelo de sociedad, su sistema de gobierno y su dinámica. Había quedado encajada entre dos potencias enemigas, los holandeses de Pernambuco y los españoles del Gran Perú con su largo brazo rioplatense. Y estaba legalmente sujeta a un Portugal europeo tan débil y jaqueado que era razonable dudar de su sobrevida. La América portuguesa debía luchar en sus fronteras, revisar su organización interna y realizar un replanteo del pacto colonial con la metrópoli. Lo que resultara de tales trabajos sería la materia de su destino.

Pero no se gestaba un destino brasileño homogéneo. Los enemigos de las dos fronteras no eran comparables, los rasgos de la sociedad americana tenían fuertes matices regionales en lo económico y en lo político, las decisiones de la Corte de Lisboa harían distingos entre el Brasil del norte y el del sur. Y de todo esto resultarán dinámicas claramente diferenciadas.

Por lo pronto, el Brasil del norte estaba definitivamente enlazado al mercado mundial por su especialización en la producción de azúcar y en la medida en que el Portugal independiente lograra reconstruir el reino del Atlántico, su viabilidad económica quedaba asegurada. Para esta región de la América portuguesa la prioridad era expulsar a los holandeses del emporio cañero, recuperar el tráfico de esclavos desde el África y asegurar las rutas mercantes del Atlántico. Eran objetivos claros, acotados y movilizadores.

Esta prioridad de los brasileños del norte no era la prioridad de D. Juan IV. Y en esta diferencia de enfoque se nutre mucho de la vocación autonómica del nuevo Brasil. El rey Braganza está dispuesto a reconocer la soberanía holandesa sobre la región de Pernambuco a cambio de una paz y una alianza que le permitan enfrentar a España, que está intentando reconquistar Portugal. Y en las negociaciones para concretar este arreglo, la Corte portuguesa inventa una compensación territorial que le ayudaría a conseguir el nuevo aliado holandés: la conquista militar de Buenos Aires y todo el Río de la Plata. Es en este punto cuando la doctrina de una ocupación total del Río de la Plata se incorpora a la geoestrategia oficial de Lisboa, con gran lisonja del partido español brasileño y los intereses mercantiles de Río de Janeiro y el Brasil platino.

Aparte de la reticencia de los holandeses, serán los propios portugueses americanos del Brasil del norte los que frustrarán el arreglo. En junio de 1645, al grito de guerra de "azúcar", los pobladores iniciaron la contraofensiva para desalojar a los holandeses. Con un improvisado ejército multirracial pero donde predominaban los negros, mulatos y mestizos, el nuevo pueblo americano empezó a empujar a los holandeses, bajo el mando del comandante Joao Fernandes Vieira, que era hijo de un hidalgo de Madeira y una prostituta mulata. En nueve años y con el tardío pero bienvenido apoyo de Juan IV, los holandeses fueron definitivamente arrojados al mar.

Los episodios de Pernambuco —una página admirable de la historia brasileña— están dando el tono del nuevo pacto colonial entre la América portuguesa y la metrópoli europea. Es un tono de relaciones laxas, incluso tormentosas, y que los americanos harán pasar siempre por el prisma de sus propios e inmediatos intereses. Si el Portugal de la Casa de Avis —el anterior a la monarquía dual— no había querido ni podido diseñar una política de colonización americana del estilo de la castellana, el nuevo Portugal de los Braganza no podrá aunque quiera, porque la América portuguesa ya tiene instintos propios y legitimidad combatiente.

Obtenida la recuperación de Pernambuco, el Brasil del norte halla su camino: reconstruir la economía azucarera aprovechando las innovaciones técnicas traídas por los holandeses y reponer el tráfico del Atlántico con su triangulación clásica. Y por lo menos hasta fines del siglo XVII, cuando las producciones de azúcar antillanas deprimen el mercado, es un camino de éxito y prosperidad.

Bien diferentes son las cosas en el sur. Sin perjuicio de la instalación de una producción azucarera de menor cuantía, este Brasil de los Habsburgo es un país comercial. Y es ese proyecto económico el que se frustra con la transformación de las tierras españolas en tierra enemiga. Aquí no se trata de expulsar a un invasor encapsulado en un territorio, sino de conservar los nexos comerciales o, colmo de la ambición, conquistar todo el territorio español hasta incluir el mismísimo cerro Rico de Potosí. En su desesperada búsqueda de una apertura, los brasileños del sur llegan a considerar esta posibilidad conquistadora, que enseguida desechan por la enormidad de atacar al Perú a través de miles de kilómetros de selvas inexploradas en Mato Grosso y el Chaco.

Pero si no pueden conquistar Potosí, los brasileños del sur analizarán con detenimiento —y la conformidad, cuando no el aliento de la Corte— la posibilidad de conquistar Buenos Aires y toda la región del Río de la Plata.

Este empeño por conservar las puertas abiertas del tráfico esclavos-por-plata que se inventó durante la monarquía dual tiene un tono dramático. Porque no es una de varias alternativas para el Brasil platino, sino la única posible en la realidad económica de 1640 y los años posteriores. Y el reiterado fracaso de esas iniciativas —chocando con la enérgica decisión española de no facilitarlas— lleva a la declinación económica del Brasil austral que ilustran los valores de arrendamiento de los diezmos de Río de Janeiro que hemos señalado.

Los fracasos no desviarán el empeño. Desde Río de Janeiro, la sociedad empujará infatigablemente hacia el sur y hacia el oeste y adquirirá la cultura de estar siempre abierta a los cambios, a las iniciativas técnicas y comerciales, a todos los impulsos fundantes. Ante el desafío de sobrevivir a la ruptura del modelo exitoso, estos lusoamericanos del sur deberán intentarlo todo: la conquista militar, el contrabando, la fundación de nuevos pueblos, la exploración minera, la introducción de nuevos cultivos, la captura de los indígenas para tener esclavos baratos y la presión infalible sobre la frontera con las tierras españolas del Río de la Plata y el Paraguay.

Así, mientras en el Brasil del norte la expulsión de los holandeses permite reconstruir una exitosa sociedad rural, celosa de su prosperidad y reactiva a los cambios, el Brasil del sur, desenganchado de la locomotora peruana, deberá vivir empujando, cambiando. En Pernambuco se instalará una sociedad conservadora y Río de Janeiro será el polo de una sociedad de emprendimiento.

Por añadidura, el sentido emprendedor del Brasil platino se completará y potenciará con su condición de ser tierra de frontera. Ha quedado colgado al borde de la inestable frontera entre los dos imperios ibéricos, acaso en la única región del globo en que esa vecindad es dinámica y cercana. Durante los dos siglos siguientes, en la faja de más de dos mil kilómetros entre Río de Janeiro y Buenos Aires, el Brasil platino y el Río de la Plata español se empujarán, se mezclarán, se combatirán y se fecundarán.

El protagonista portugués de este vaivén histórico, el Brasil platino, es una sociedad que tiene los genes de la cultura imperial portuguesa modificados por la realidad americana tras un siglo de existencia. Es esta sociedad concreta y viva la que empujará hacia el sur. Por eso es menester identificar sus rasgos principales.

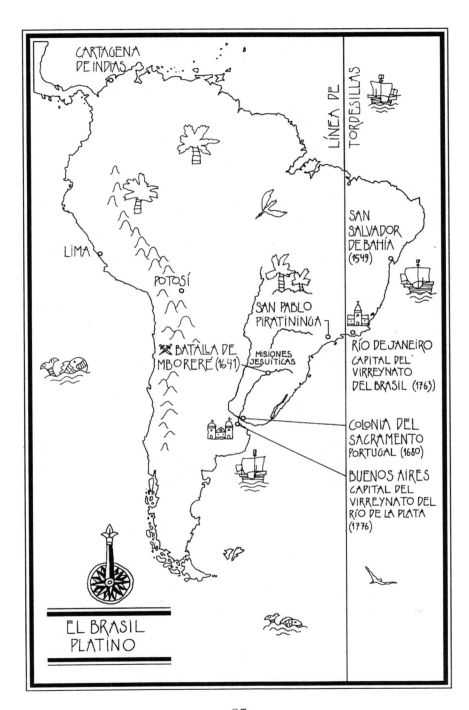

CARTAGENA DE INDIAS

LÍNEA DE TORDESILLAS

SAN SALVADOR DE BAHÍA (1549)

LIMA

POTOSÍ

SAN PABLO PIRATININGA

BATALLA DE MBORERÉ (1641)

MISIONES JESUÍTICAS

RÍO DE JANEIRO CAPITAL DEL VIRREYNATO DEL BRASIL (1763)

COLONIA DEL SACRAMENTO PORTUGAL (1680)

BUENOS AIRES CAPITAL DEL VIRREYNATO DEL RÍO DE LA PLATA (1776)

EL BRASIL PLATINO

Las tres fuerzas endógenas de la sociedad brasileña serán la amalgama entre lo público y lo privado, la primacía del lucro como valor social y la afirmación de un derecho de iniciativa de los americanos casi irrestricto.

La primera de ellas tiene una gestación ya conocida: cuando el rey D. Juan III fracciona sus posesiones americanas en lonjas perpendiculares a la costa y crea allí las primitivas 12 capitanías, otorga a los beneficiarios privados innúmeras facultades políticas y̆ militares. Así, el poder público en el Brasil nace mezclado con los intereses privados, en una suerte de modelo neofeudal. En las capitanías que prosperan —especialmente Pernambuco y San Vicente— los herederos de los fundadores se pasarán esos derechos de generación en generación, durante más de un siglo.

Con semejante modelo de partida, no es extraño que la amalgama, cuando no la confusión entre lo público y lo privado, se convierta en una regla de la sociedad brasileña. Y esta amalgama está también en la base de la iniciativa pernambucana contra los holandeses: no luchaban por recuperar Pernambuco para Portugal, sino por recuperar sus derechos cuasifeudales sobre las tierras y riquezas de la Capitanía.

La situación inversa se la puede imaginar: los gobernadores portugueses y todos los funcionarios peninsulares asumían los cargos con la mira puesta en sus intereses particulares. Tanto más cuanto que la legislación misma permitía esta colusión. Recién llegados a 1673, la Corona empezará a dictar incompatibilidades para los gobernadores, en una serie de normas que se perfeccionan en 1680.

Es imposible exagerar la importancia de este rasgo en la sociedad americano-portuguesa. Porque los brasileños de la época se acostumbrarán a pensar que es la ley la que debe adaptarse a sus intereses particulares, a tal punto que la ley puede ser ignorada cuando el beneficio particular lo requiera. Más aún si la ley la dicta una Corona europea sin aparato estatal y que viene marchando detrás de sus vasallos cuando se trata de conquistar, reconquistar y ocupar los territorios. Por esta subordinación y labilidad de la autoridad pública se filtrará el desmadre de la sociedad brasileña, ya se trate de la dificultad de recaudar los impuestos como de la imposibilidad de proteger a los indígenas contra la crueldad de los cazadores blancos.

Y en este mundo americano en que el conquistador portugués no debió enfrentar la resistencia militar de reinos antiguos y no tuvo oportunidad de gestas heroicas, donde el territorio no se conquistó con la espada sino firmando contratos de capitanías y cuya defensa y reconquista fue asegurada por ejércitos de mulatos y mestizos, la estructura social y el sistema de méritos sólo podía descansar en el lucro. Más aún cuando ni siquiera la tarea de evangelización de los indígenas tiene jerarquía imperial, por la relativa minusvalía de la Iglesia portuguesa y el afán esclavista de los conquistadores que prefieren cazar los cuerpos de los nativos aunque se pierdan sus almas...

En la América portuguesa el éxito económico será todo, sin ninguno de los complementos morales, religiosos y políticos que encuadran la colonización castellana en el resto del Nuevo Mundo.

Por eso no puede sorprender que en la cúspide de la sociedad colonial brasileña aparezca pronto una aristocracia del dinero. Serán en el sur los comerciantes y banqueros que tienen negocios con el Perú y cuyo mayor exponente es nuestro conocido Salvador Correia de Sá. Y en el norte, pero con extensiones a toda la colonia, los "senhores de engenho" cuyo encumbramiento social subraya el jesuita italiano Giovanni Antonio Andreoni, afincado brasileño y conocido por su apodo, Antonil: "Ser un señor de ingenio es una honra a que muchos aspiran; porque este título trae consigo los servicios, la obediencia y el respeto de mucha gente. Y si es, como debe ser, un hombre rico y con capacidad administrativa, el prestigio concedido a un señor de ingenio en el Brasil puede ser comparado a la honra con que los nobles titulados son tenidos entre los hidalgos de Portugal".

Esta primacía de la riqueza como valor social y de lo económico como móvil colonizador marcará profundamente a la sociedad brasileña y hará más acuciante la necesidad de encontrar, en el sur, nuevos rumbos económicos cuando se ha perdido la articulación con la plata potosina.

La labilidad de la autoridad imperial portuguesa unida a la indiferenciación entre lo público y lo privado concurrieron a delinear el otro rasgo de la sociedad colonial: el traslado de la iniciativa pública a manos de los americanos y de los particulares. Ya hemos visto que la expulsión de los holandeses es fruto de la iniciativa americana y que esa iniciativa fue también capaz de armar, equipar y despachar, en 1648, la expedición naval que bajo el mando del multifacético Salvador Correia de Sá logró reconquistar Luanda, la plaza fuerte africana que habían ocupado los holandeses.

En ambos casos, eran los intereses económicos americanos los que estaban en juego: el azúcar de Pernambuco y los esclavos angoleños para las plantaciones. Y las dos fueron iniciativas que movilizaron recursos críticos de la sociedad brasileña lanzándolos a la guerra contra una gran potencia extranjera. Y en los dos casos los brasileños no esperaron la venia imperial ni contaron con el apoyo siquiera político de la Corona.

Esa sociedad que cargaba a sus espaldas nada menos que una parte de la política internacional del reino quedaría legitimada y habilitada para decenas y centenares de iniciativas de menor cuantía, sin tomarse el trabajo de averiguar el parecer de Lisboa sobre cada situación. Por su parte, los gobernadores y funcionarios reales afectados al Brasil, que tenían mezclados sus negocios personales con sus funciones públicas y ejercían sus cargos dependiendo del buen humor de los vasallos coloniales, no tendrán interés ni poderes para hacer primar la voluntad de Lisboa.

Con el predominio de la iniciativa privada y americana la Corona se verá habitualmente obligada a legitimar formalmente, y a posteriori, los actos de los súbditos americanos. Y cuando esa legitimación es imposible, no tendrá más recurso que la queja y reiteradas protestas de buena voluntad, que tampoco suenan muy sinceras. Así sucede con la esclavización de los indígenas y el trato cruel que reciben en todo el Brasil y con lo que es típico del Brasil platino, las andanzas de los "bandeirantes".

Sin embargo, estas tres fuerzas endógenas de la sociedad brasileña actuarán en permanente conflicto con contrafuerzas que están presentes en la dinámica americana pero provienen de la metrópoli. Ellas son el gobierno colonial, la Iglesia y la Compañía de Jesús.

La institución más característica del Estado portugués desembarcó en América con los primeros colonizadores: eran las Cámaras, órganos de administración municipal con amplia autonomía y sólida representación de los vecinos, la versión portuguesa de los Cabildos de la América española. Pero, a diferencia de los Cabildos, las Cámaras no responderán a un modelo único establecido por la autoridad real, sino que cada una podrá tomar como referencia la Cámara de una ciudad portuguesa y recibir así idénticos "privilegios"; las ciudades brasileñas elegirán, en su mayoría, aparearse con los privilegios de Oporto. Esta peculiaridad de las Cámaras subraya una vez más la articulación lábil del imperio portugués en comparación con las disposiciones rigurosas del sistema español.

Las Cámaras, con sus funciones bien definidas, una representación eficaz y un categórico arraigo geográfico, serán el núcleo de la vida institucional brasileña hasta bien entrado el siglo XIX. Alrededor de ellas, el espacio institucional será llenado por una plétora de funciones y funcionarios nunca del todo definidos ni ordenados. Porque a las funciones locales de gobierno y justicia se yuxtapondrán las representaciones de ciertas facultades de la Corona, como los monopolios reales y la gestión recaudadora.

Sobre todo eso planeará la figura del gobernador, con atribuciones militares variables según tenga o no el título de capitán general. Sin duda será siempre una figura de gran prestigio social y político, pero esta jerarquía podrá ser alcanzada de manera mucho menos sistemática que en el caso del imperio español. Así, no será raro que lleguen al máximo cargo los mismos líderes locales o los grandes empresarios. Y durante los primeros doscientos años de la historia brasileña estos gobernadores no estarán encorsetados por los rígidos controles cruzados ni los severos enjuiciamientos que son norma en el mundo español.

Para mayor debilidad del sistema, en el imperio portugués la venta de cargos y funciones será una práctica endémica. Por añadidura, la Corona portuguesa nunca logró tener un sistema de remuneraciones condigno de las funciones encargadas. Por eso, los gobernadores —y muchos funcionarios menores— eran simultáneamente titulares de funciones públicas y negocios privados. Recordemos el caso del gobernador de Angola, que a fines del siglo XVII era el proveedor del 25 por ciento de los esclavos que se embarcaban anualmente por el puerto de Luanda.

Será moneda corriente la extrema confusión de los negocios públicos con los privados, la preocupación de los gobernadores por su enriquecimiento personal y una lluvia continua de denuncias de cohecho y otros abusos durante los tres siglos de imperio. Como ejemplo, Boxer recuerda que cuando el rey D. Juan IV preguntó al padre Antonio Vieira si la difícil colonia brasileña de Maranhao-Pará no mejoraría dividiéndola en dos jurisdicciones, el astuto jesuita le aconsejó dejar las cosas como estaban "porque un ladrón en un cargo público es un mal menor que dos".[22]

La situación de la Iglesia es también muy ilustrativa de la dispersión del poder político y social. Formalmente, la Iglesia lusitana que desembarcaba en el Brasil tenía las mismas facultades e igual sometimiento a la Corona que en el caso del Imperio español. Porque el derecho de Patronato y las autorizaciones papales también tendían a convertirla en "un nuevo brazo del poder", como la hemos caracterizado para el caso español. Con curiosa homonimia, Sergio Buarque explica el caso portugués: "La Iglesia transformábase, de ese modo, en simple brazo del poder secular, en un departamento de la administración o, como decía el padre Julio Maria, en un *instrumentum regni*".[23]

Pero si el brazo era idéntico al español, la cabeza que lo mandaba era muy diferente. Los reyes portugueses no se apresuraron a organizar la Iglesia indiana, ni pusieron el celo castellano en elegir a los pastores, ni dotaron a los obispos de una autoridad suficiente frente a la realidad social de sus feligreses. El mismo Buarque nos lo explica: "Puede admitirse que, subordinando indiscriminadamente clérigos y laicos al mismo poder a veces caprichoso y despótico [de los funcionarios], esta situación estaba lejos de ser propicia a la influencia de la Iglesia y, hasta cierto punto, a las virtudes cristianas en la formación de la sociedad brasileña. Los malos padres, esto es, negligentes, interesados y disolutos, nunca fueron excepciones en nuestro medio colonial. Y los que pretendían reaccionar contra el relajamiento general, difícilmente encontrarían medios para tanto. De éstos, la mayor parte pensaría como nuestro primer obispo, que en tierra tan nueva 'muchas más cosas se han de disimular que castigar'...".[24]

Estas debilidades intrínsecas de la Iglesia lusoamericana se vuelven dramáticas cuando las contraponemos a los impulsos de esa sociedad insumisa, que prioriza el lucro y cree legítimo subordinar la ley a los intereses particulares. Cuando los buenos padres intenten gravitar sobre las costumbres americanas y ejercer su ministerio con celo, se encontrarán con una resistencia que no conoce límites a su acción.

En su reciente y lúcido *Dialética da Colonizaçao*, el ensayista paulista Alfredo Bosi nos ofrece una crónica asombrosa de los padecimientos que enfrentaron los prelados de Río de Janeiro cuando intentaron cumplir su tarea pastoral: "El primer titular, padre Bartolomeu Simoes Pereira, murió envenenado en l598; el segundo, padre Joao da Costa, fue perseguido, expulsado de la ciudad y de sus funciones por sentencia de la magistratura colonial; el tercero, padre Mateus Aborim, también sucumbió víctima de la ponzoña; declinarán prudentemente la honra prelaticia el cuarto y el quinto dejando vacante el cargo; tuvo el sexto, reverendo Lourenço Mendonça, que huir para Portugal escapando al incendio que los colonos provocaron en su casa quemando un barril de pólvora en su quinta; el séptimo padre, Antonio de Mariz Loureiro, (...) levantó tal oposición que prefirió recogerse en la Capitanía de Espíritu Santo, donde se extinguió después de sufrir una tentativa de envenenamiento. Pasó en silencio la historia del octavo, el famoso doctor Manoel de Sousa e Almada, pues es aguda la discrepancia de las fuentes en cuanto a su inocencia o culpa: el hecho es que su palacio fue dañado por tiros de cañón, y que el Tribunal de Relaçao de Bahía absolvió a los agresores y, para colmo de agravios, fue el prelado obligado a pagar las costas del proceso (...)".[25]

Esta Iglesia débil frente a la sociedad insumisa y desbordante de energía debía terminar provocando una alteración del equilibrio entre los valores religiosos y los valores sociales. En el Brasil, esa alteración tomó la forma de un vaciamiento de los contenidos religiosos, aunque conservando su presentación formal, y así nos lo muestra Sergio Buarque: "A una religiosidad de superficie, menos atenta al sentido íntimo de las ceremonias que al colorido y la pompa exterior, casi carnal en su apego a lo concreto y en su rencorosa incomprensión de toda verdadera espiritualidad, transigente, por lo mismo que pronta a los acuerdos, nadie pediría, ciertamente, que se elevase a producir una moral social poderosa. Religiosidad que se perdía y se confundía en un mundo sin forma y que, por eso mismo, no tenía fuerza para imponer su orden." Y desembarca en una conclusión política que nos trae hasta el Brasil de hoy y se sincroniza con el lapso de formación de nuestra República Atlántica: "No sorprende, por lo tanto, que nuestra República haya sido hecha por los positivistas o los agnósticos y que nuestra Independencia fuese obra de masones"[26].

El deslizamiento de la América portuguesa hacia una sociedad mucho más laica que la hispanoamericana chocó, sin embargo, con un punto de resistencia que será protagónico: la Compañía de Jesús.

La Corona abrió las puertas del imperio a la compañía fundada por Ignacio de Loyola con la esperanza de resolver dos graves problemas: la depuración de la Iglesia según las disposiciones del Concilio de Trento y la organización de un sistema de educación pública. Como se recordará, en el mundo español las dos cuestiones habían sido encaradas por las tempranas reformas de los Reyes Católicos.

Llegados al Brasil, los jesuitas ocuparán todo el vacío espiritual y social: tomarán a su cargo la evangelización, se empeñarán en proteger a los indígenas, montarán un completo sistema de educación, formarán un sólido imperio económico y darán figuras intelectuales notables. Es en el mundo portugués donde la Compañía alcanzará su mayor esplendor e influencia y también allí comenzará su aniquilamiento doscientos años después.

En el momento de la expulsión (1759), la Compañía tenía en el Brasil diecinueve colegios, cinco seminarios, varios hospitales y más de cincuenta aldeas misionales, atendidos por más de 400 padres, sin contar los novicios. Esa enorme estructura se mantenía con el producido de diecisiete plantaciones de caña, siete estancias con más de 100.000 cabezas de ganado en la isla de Marajó y 186 edificios urbanos en la ciudad de Bahía, la capital. En sus colegios y seminarios —los de mayor nivel del Brasil, donde estaba prohibida por la Corona la enseñanza universitaria— era corriente encontrar cátedras de historia, geografía y matemáticas. Vale la pena tener presente que las únicas universidades del mundo portugués, las metropolitanas de Coimbra y Évora, eran también regenteadas por los jesuitas.

A diferencia del mundo español, donde la Compañía deberá abrirse paso entre la espesa red del pensamiento laico y secular, la presencia de la Iglesia de Imperio, la organización del Estado filipino celosamente regalista y la actividad de otras poderosas órdenes —en especial los dominicos, los franciscanos y los mercedarios—, en el mundo portugués los jesuitas fueron casi todo.

Casi todo: no sólo reemplazarán al Estado en la educación, la cultura y la salud pública sino que tomarán a su cargo la conciencia moral, el pensamiento estratégico y la justificación y defensa ideológica del modelo social y político del imperio portugués de los Braganza. Esta dimensión de cogobierno que adoptan los jesuitas de Jesús en el mundo lusitano debe ser mirada con los ojos bien abiertos. Porque de ella derivan dos grandes consecuencias que hallan aquí su explicación histórica: las terribles contradicciones en que incurren los ideólogos como el padre Antonio Vieira y el verdadero golpe de Estado contra la Compañía que descarga en 1759 el marqués de Pombal y cuyos ecos llegarán hasta la supresión de la Compañía por decisión papal tras las sucesivas expulsiones de Francia, España y Nápoles.

Al asumir la policía moral de la América portuguesa, los jesuitas tuvieron que hacerse cargo del viejo pleito: cómo sostener la doctrina cristiana en una sociedad esclavista. Aquella incapacidad ideológica y material de evangelizar el África occidental contra los intereses de la trata de esclavos que destruyó las posibilidades abiertas por el rey Nzinga Nvemba se reproducía con igual obstinación en el Nuevo Mundo. El Brasil había nacido esclavista y era imposible criticar o combatir esa viga maestra del edificio colonial portugués sin provocar un derrumbe.

Y los grandes ideólogos jesuitas del Brasil, en la medida en que se habían instalado dentro del cogobierno imperial, no podían actuar como críticos independientes. El resultado será la figura gigante y patética del padre Antonio Vieira, cuya vida y trabajos retratan con trazos inmortales todo el conflicto de la nueva sociedad.

Enfrentados a la contradicción entre las enseñanzas del cristianismo y la realidad económica brasileña, los padres optarán por dividir el tema de la esclavitud en dos materias: la esclavización de los naturales de América y la de los negros traídos de África. Y concentrarán toda su potencia crítica y política en la defensa de los derechos de los indígenas, eligiendo para la situación de los negros africanos lo que Alfredo Bosi llama "un salvacionismo dualista".

La situación de los indígenas americanos desde el punto de vista doctrinario y moral quedó cerrada con la bula "Sublimis

Deus" expedida por Paulo III en 1537. En ella se recogía la precursora decisión política de los reyes españoles contenida en la Real Cédula de 1495 y los clamorosos debates teológicos y doctrinarios que habían sacudido al mundo de Carlos V. El Papa laudaba declarando la libertad imprescriptible de los indígenas, con una decisión que era obligatoria para todos los monarcas cristianos y sus súbditos.

En el mundo portugués —cuya tradición esclavista era fortísima— la decisión papal fue largamente resistida. Y aun mediando expresas instrucciones de la Corona, la cacería y esclavización de los indios americanos siguió siendo práctica común. Contra esta subversión arremetió la Compañía de Jesús no bien llegada a América. Su acción en defensa de los naturales se extendió por todas partes, pero tuvo dos puntos calientes en la norteña región de Maranhao y en el planalto paulista que pronto empezaron a ocupar los "bandeirantes".

Un siglo después de la bula papal la subversión lusoamericana seguía en pie. Tolerada y consentida por los funcionarios reales que muchas veces tenían intereses económicos mezlcados, practicada con violencia y desenfado por los colonos europeos y apenas resistida por las víctimas, la esclavización de los indígenas del Brasil era una práctica corriente.

El padre Antonio Vieira, a quien ya hemos mencionado como uno de los campeones de la expansión portuguesa hacia el Río de la Plata, era un religioso de inmensa influencia en la Corte de los Braganza. Como consejero político y como pastor, sus opiniones nutrieron la formación del Portugal independiente. Y durante su larga permanencia en Lisboa como luego, en la etapa final de su vida en el Brasil, tuvo el privilegio de hacerse oír, en público y en privado, por los reyes de Portugal y la crema de la dirigencia lusitana de ambos mundos. Gran trabajador intelectual, ha dejado una obra contenida en 207 sermones y numerosas exégesis, artículos y cartas.

Vieira enfrentó el drama de los indígenas americanos con una idea central: eran hombres libres pero podían ser obligados a trabajar. Y levantó como una bandera de progreso en las tierras de Maranhao un sistema de trabajo por períodos del año, luego de los cuales regresaban a las aldeas supervisadas por los padres, que era prácticamente una copia de la "mita" que se practicaba en las montañas peruanas. Resalto esta similitud porque habla por sí sola de la distinta situación de los indígenas en ambos reinos: lo que en el mundo español era criticado por duro, en el portugués aparecía como anhelo de progreso.

Vieira fracasó y fue castigado por la Inquisición portuguesa, prohibiéndosele predicar en todo el Imperio. Y en la misma línea los jesuitas fracasarían en su lucha por proteger a los indígenas de los asaltos de los bandeirantes en el sur. Los padres fracasaban en su intento moralizador a pesar de que habían asumido —en un doloroso esfuerzo de adaptación a la realidad colonial— una postura conciliadora que era la única posible en su rango de cogobernantes.

Esta contradicción es aun más dramática cuando se trata de los negros africanos. Porque si acaso se podía combatir la esclavitud de los indígenas, ¿cómo era posible cuestionar la de los negros, que eran la razón de ser económica del Reino del Atlántico en ambas márgenes del océano?

Es aquí donde aparece el "salvacionismo dualista", que consistía en justificar la esclavitud de los africanos en este mundo porque ése era el salvoconducto seguro para su felicidad eterna. Lo dice Vieira: "Porque todos aquellos esclavos que en este mundo sirvan a sus señores como a Dios, no serán los señores de la tierra quienes habrán de servirlos en el Cielo, sino el mismo Dios en persona quien los ha de servir". La fórmula es de un maquiavelismo genial, porque ni siquiera asusta a los señores de la tierra con la posibilidad de tener que servir a sus esclavos en el cielo... ¡Para eso está Dios, ubicuo y servicial!

Por cierto que no tengo la intención de juzgar al padre Vieira, que fue, para su tiempo y su tierra, un luchador por la justicia y la misericordia. Me interesa mostrar hasta qué punto la esclavitud era el eje de la vida brasileña. Porque ese eje se proyectará en todos los campos y se infiltrará como una ponzoña en el de las ideas. En los siglos siguientes y hasta bien avanzado el siglo XIX, la necesidad material y social de justificar la esclavitud será una manea invisible y rígida para cualquier pensamiento progresista de la América portuguesa. En su ya mencionado *Dialética da Colonização*, Alfredo Bosi lo dice muy bellamente: "La condición colonial levantaba, más de una vez, una barrera contra la universalización de lo humano".

Durante el primer siglo de colonización efectiva, la América portuguesa había conocido dos grandes políticas: la privatización puesta en marcha por Juan III con la creación de las capitanías y la asimilación al modelo castellano intentada por los reyes Habsburgo bajo la monarquía dual. A partir de 1640 los reyes Braganza se verán forzados a una política mixta. La creación del Consejo Ultramarino, el establecimiento de un sistema de flotas según el modelo español, la afirmación del monopolio comercial y el aumento de la emigración europea serán decisiones continuadoras de la política de los Habsburgo. Pero, al mismo tiempo, la dinámica de la colonia americana y la debilidad estructural del Portugal metropolitano mantendrán viva la llama de la autonomía brasileña.

La supervivencia imbatible del modelo de colonia privatizada quedará confirmada en la generalización de la esclavitud de indígenas y africanos como eje económico y social, en el predominio del lucro como factor de enaltecimiento social, en el abandono de todos los espacios de acción pública —ausencia y hasta prohibición de actividades en la educación, la cultura y la impresión— y en la generalización de las iniciativas particulares en descubrir, ocupar y colonizar el territorio. De éstas, una tendrá importancia decisiva para el Brasil platino: la acción de los "bandeirantes".

En la trastienda de aquel Río de Janeiro atribulado por su destino, donde la selva costera trepa y se convierte en los bosques y pastizales frescos y saludables de la meseta paulista, algunos europeos buscavidas y marginales habían empezado a formar una comunidad diferente. Teniendo como centro la minúscula población de San Pablo Piratininga los pobladores portugueses se extendieron sin otro apoyo que su propio dinamismo.

La marcha hacia el interior contrariaba la filosofía y la política portuguesas, claramente abroqueladas en el proyecto de imperio marítimo. Y así, desde las primeras entradas de los pobladores del litoral de San Vicente hacia el planalto de Piratininga debieron enfrentar la resistencia de las autoridades. A tal punto que, cuando en 1554 la heredera de la Capitanía de San Vicente, Doña Ana Pimentel, autorizó los tratos tierra adentro, la Cámara le pidió la confirmación por escrito de una decisión tan extravagante.

Este pecado original de los pobladores paulistas anuncia un destino. Porque al contravenir tan tempranamente la política oficial de Portugal respecto de la ocupación territorial están eligiendo una orfandad que les dará derechos. Los paulistas nacen renegados, se criarán autónomos y se sentirán independientes.

Esta marginalidad política será funcional a su razón de ser económica. Porque el impulso principal de la penetración es la cacería de indígenas para sujetarlos a la esclavitud en el mismo San Pablo o destinarlos a las plantaciones de Río de Janeiro. La prohibición territorial y la prohibición esclavista se daban la mano.

Atrincherados en el planalto, los paulistas formarán pequeños ejércitos —de algunas decenas a algunas centenas de hombres— con los que harán las entradas en el "sertao" en busca de sus presas. Éstas son las "bandeiras". Y viviendo en contacto con la considerable población tupí-guaraní de aquellas tierras, pronto empezará el mestizaje de sangre y de cultura. Mujeres indígenas acompañarán a los bandeirantes en calidad de concubinas y les darán hijos mestizos que serán sus socios y continuadores. Y puestos en esa realidad, los bandeirantes adoptarán el idioma tupí-guaraní como lengua materna y "lingua franca". Es en las escuelas de los jesuitas en San Pablo donde los niños aprenderán portugués...

Nadie pondrá coto a la voracidad esclavista de los bandeirantes. Ni siquiera la obstinación vigilante de los jesuitas, que serán expulsados de San Pablo por decisión autónoma de los pobladores. Pero a estas actividades se agregarán una explotación paulatina de la tierra y exploraciones en busca de metales preciosos y esmeraldas que irán creciendo con el tiempo.

Cuando se restablece la independencia de Portugal, la debilidad de la nueva Corona no hará más que enardecer la vena rebelde de los paulistas. Es en ese momento cuando se atreven a expulsar a los jesuitas. Y de allí en más gestionan sus asuntos con un notable desdén por la autoridad de los representantes locales de la Corona, aunque sin perder su lealtad última a la metrópoli. En esta segunda mitad del siglo XVII es cuando se afirma la opinión de los gobernadores coloniales y los visitantes europeos, que ven a los paulistas como una sociedad de forajidos, rebeldes a toda sujeción y propensos a las actividades criminales.

Vistos a la distancia, los componentes característicos de este mundo de paulistas y bandeirantes no eran sino el fruto natural del choque entre la concepción imperial portuguesa y la realidad brasileña ya vieja de casi dos siglos. Retomaban la tradición de la colonización privada, persistían en la elección de una economía esclavista y se servían de la práctica de una gran autonomía de los conquistadores y colonizadores respecto del apoyo imperial. Y, por el impulso americano, daban la espalda a la política de imperio marítimo, resistían sistemáticamente las disposiciones de la Corona y estaban dispuestos a provocar conflictos internacionales con la misma soltura que nutrió la reconquista de Pernambuco o de Luanda.

Y confiados en sus propias fuerzas y derechos asumirán como propia la tarea de buscar un destino alternativo al Brasil platino del cual forman parte esencial. Esa búsqueda los llevará hacia el oeste y hacia el sur, empujando primero y desafiando después las fronteras de los reinos españoles. Y son tan capaces de ese movimiento que cuando en 1643 Salvador Correia de Sá imagina la conquista de Buenos Aires, cuenta con que un ejército bandeirante ataque al Río de la Plata por tierra mientras la flota lo hace desde Río de Janeiro.

Con la fragua de las sociedades paulista y bandeirante están en escena todos los actores del Brasil platino y definidos sus grandes perfiles. Tras la ruptura de la monarquía dual, se harán cargo de buscar un nuevo destino en reemplazo de la alianza peruana que sostenía su prosperidad mercantil. Y en esa búsqueda reinventarán la marcha hacia el sur, vivida ahora como impulso propio y conquistador. Y bendecida por la política de la Casa de Braganza y sus consejeros "rioplatistas". Va a empezar otra época.

7. El Plata portugués

Con los acontecimientos de 1640 se desatan tres impulsos portugueses que, junto con la réplica española, cambiarán la historia del Río de la Plata.

En la cúspide, el rey Juan IV Braganza y sus consejeros, resignados a la pérdida de la mayor parte del imperio asiático y al debilitamiento del africano, promoverán una política en favor de las colonias americanas. Lisboa pensará en el Brasil, actuará en el Brasil y dependerá cada vez más del Brasil Cuando se alcance la paz con España (1668) y con Holanda (1669), los Braganza pueden poner toda su energía en la recuperación de lo posible: el imperio americano.

En el Portugal europeo, la guerra de independencia y las enormes pérdidas del imperio ultramarino desatan un largo tiempo de pobreza y desesperanza. La respuesta social será una vigorosa ola emigratoria. Y si en el pleno esplendor imperial del siglo precedente los migrantes portugueses preferían el Brasil, ahora será el destino único. Las colonias americanas recibirán un fuerte trasvasamiento de población portuguesa que anda buscando nuevos horizontes, fronteras móviles y permeabilidad social: los viajeros preferirán el Brasil del sur al muy estructurado, conservador y esclavista Brasil de las plantaciones.

En la América portuguesa, por fin, todo se pone en movimiento, como la colmena que recibe un cascotazo. No sólo corren los americanos a ocupar los puestos de vanguardia en la defensa territorial sino que se sienten liberados de la severa autoridad imperial de los Habsburgo, lo que les permite audacias tales como expulsar a los jesuitas de San Pablo. Pero en este remolino se va pronto definiendo esa misión histórica de los hombres del sur: encontrar un nuevo destino económico y político. Y como una columna combatiente que se organiza en la marcha, todos empiezan a buscar hacia el sur y hacia el oeste el nuevo maná. No es casual: lo buscan allí donde lo tenían y lo perdieron, en la proximidad de la América española.

Estos tres impulsos definen el tono de la nueva época: la Corona, los migrantes y los brasileños formarán una iniciativa sólida y perseverante destinada a embestir el mundo español. Se abre el tiempo de la iniciativa portuguesa en América del Sur, un tiempo en el que España estará a la defensiva, tomando medidas de contragolpe, respondiendo a la iniciativa portuguesa que marcará el compás. Y ese tiempo, decisivo para la América del Atlántico sur, se extenderá por 135 años, hasta la expedición de Don Pedro de Cevallos y el marqués de Casa Tilly en 1776.

Las primeras manifestaciones del nuevo "élan" portugués son casi espontáneas y desarticuladas, pero contribuyen a definir el campo español. La decisión de expulsar a los jesuitas de San Pablo (que será reconsiderada cuatro años después, en 1645) se acompaña, en el mismo momento, de una arremetida general de los bandeirantes contra las misiones del Paraguay. Y entonces, en Mbororé, un gran ejército indígena capitaneado por los padres inflige una categórica derrota a los portugueses. Para Sérgio Buarque, esta derrota bandeirante de Mbororé es de tal magnitud que desalienta el proyecto de atacar a Buenos Aires por mar y tierra simultáneamente según la propuesta de Salvador Correia de Sá.

Las autoridades españolas del Paraguay toman debida nota de los hechos y en 1644 autorizan a los indios de las misiones a que se armen con armas de fuego y envían a militares españoles para que los entrenen. Así nacen las falanges guaraníes que, siempre encuadradas por los padres, serán la gran fuerza de contención militar contra los avances paulistas en el Paraguay y aun en las costas del Río de la Plata.

Quiere decir que mientras los gobernadores españoles toman las primeras medidas de aplicación de la ruptura de la monarquía dual, como el registro y expulsión de residentes y comerciantes portugueses de Buenos Aires, se consolida la alianza de la Corona española con la Compañía de Jesús en la defensa de la región platina.

¿Puede sorprendernos que en medio de estos cambios políticos la Compañía de Jesús haya elegido el campo español? No es una elección contingente. A siglo y medio de la Real Cédula de los Reyes Católicos sobre la libertad de los indígenas, la doctrina y la práctica de la Corona de Castilla han resultado en una efectiva protección de los aborígenes y en una no menos efectiva prohibición de su esclavitud. Frente a la posición castellana, la portuguesa es casi la opuesta y, como hemos visto, ni la autoridad papal ha sido capaz de torcer la vocación esclavista de los colonos lusitanos.

La diferencia de situaciones entre ambos imperios no es de grado, y el resultado está a la vista: las ya importantes y prósperas misiones jesuíticas guaraníes sólo han podido instalarse en tierra española, donde la ley y los funcionarios reales prohíben la caza del indio para destinarlo a la esclavitud. Llegamos a un punto fundamental y no siempre resaltado: es la política indigenista de España la que hace posible la existencia de las célebres misiones guaraníticas. Ellas nunca habrían podido florecer en tierras de dominio portugués.

Con esa causación pausada y pertinaz de los hechos históricos, la crisis de conciencia de los Reyes Católicos en 1495 viene a producir, un siglo y medio después, un alineamiento político fundamental en tierras que entonces no se conocían y entre protagonistas que entonces no existían. Y estas consecuencias, ya de por sí decisivas para el mundo platino porque transforman al país guaraní en tierra española y en parapeto contra la presión portuguesa, serán el origen de otras igualmente esenciales un siglo más adelante.

Porque la batalla de Mbororé abre un ciclo. El ejército jesuítico-guaraní ha derrotado a los bandeirantes y recibe enseguida respaldo y entrenamiento español. Y esta fuerza armada, capaz de convocar a millares de combatientes valerosos y disciplinados, se convertirá en los cien años siguientes en el principal recurso militar de los gobernadores españoles frente a las agresiones portuguesas. En las fronteras del Paraguay primero, pero a poco andar en las costas del Plata, a un millar de kilómetros de sus pueblos, los soldados guaraníes de los padres serán la gran fuerza combatiente de la Corona española en la marca atlántica del Imperio.

Este papel crucial de sus milicias dará a la Compañía un poder político diferente en el Plata. Por la razón de este poder militar nacerá y crecerá el "partido jesuítico" que llegará a tener en Buenos Aires un poder desproporcionado a la presencia de la Compañía y sus intereses en la ciudad-puerto. Es porque Buenos Aires tiene que apelar una y otra vez a este ejército que el partido jesuítico tiene voz fuerte en la política platina. Tan fuerte que en la culminación de su influencia lucirá la jefatura de Don Pedro de Cevallos, gobernador de Buenos Aires primero, gobernador militar de Madrid y primer general del reino luego, y virrey fundador del Río de la Plata, por fin.

Apenas rota la inercia, la Corona portuguesa empieza a buscar los argumentos jurídicos para la marcha hacia el sur. En 1656 muere Don Juan IV dejando el trono al menor Afonso VI, un minusválido mental que será apartado del poder en 1667 en favor de su hermano Don Pedro. Regente entre 1667 y 1683 y rey titular como Pedro II entre 1683 y 1706, este monarca impulsivo y rústico pero lleno de energía abrirá el camino al nuevo esplendor portugués del siglo XVIII.

Don Juan IV, Afonso VI y luego Don Pedro en su regencia y en su reinado, recogerán y potenciarán los impulsos expansivos de sus vasallos brasileños. Y al paso del tiempo se irán perfilando dos políticas posibles: la deseada reapertura de un comercio recíproco a través del Río de la Plata o la embestida cabal y abierta contra las provincias españolas. No serán políticas alternas, sino sucesivas. Primero será el comercio, intentando la continuación de lo preexistente y que supone poco compromiso militar portugués en una época de debilidad, cuando recién se está reconstruyendo la independencia. Después será la conquista.

La dependencia brasileña del tráfico platino y el mismo interés de Buenos Aires en reavivarlo, han sido iluminados con nuevas contribuciones por el eminente profesor de Coimbra Luis Ferrand de Almeida, que en una comunicación al IV Congreso de Academias de Historia Iberoamericanas, en noviembre de 1994, dice: "Las autoridades y los pobladores del Brasil tenían la idea —en parte exacta— de que la falta de moneda era consecuencia del cierre del comercio platino a partir de 1640. (...) Reconocíase, por otro lado, que la poca moneda existente venía toda del Perú por la vía platina, cuando el tráfico era posible". Y del lado bonaerense, Almeida aporta un testimonio categórico: el padre Vicente Alsina, rector del Colegio de la Compañía de Jesús en Buenos Aires, le escribe al gobernador del Brasil, Alexandre de Sousa Freire, en 1669, sugiriéndole que el embajador portugués en Madrid se dirigiera a la reina regente (viuda de Felipe IV, madre del menor Carlos II) para solicitar por esa vía la reapertura del comercio. Y Almeida cita una carta del propio Sousa Freire al regente D. Pedro: "En Buenos Aires se dificulta hoy tanto la esperanza de aquel comercio como cuando estaba impedido por las guerras: pero los castellanos lo desean más que los portugueses. El Brasil se pierde por falta de moneda; con cualquier medio que se pueda deben ir allí embarcaciones para traer plata..." Nada de esto nos puede parecer extraño, porque caída la monarquía dual, el mundo portugués vuelve a sentir la sequía monetaria que es su sino. Pero lo nuevo es que allí están, abiertos y disponibles, los conductos platinos y brasileños y los intereses locales por reactivarlos.

La novísima comunicación del profesor Ferrand de Almeida descorre el velo sobre la otra línea de desarrollo del intento comercial: la introducción de esclavos africanos en Buenos Aires, directamente, desde los puertos angoleños. El mismo Juan IV autorizó el comercio de las colonias africanas con las Indias Occidentales españolas, mientras por imperio del estado de guerra entre las dos Coronas mantenía la prohibición del comercio con la España europea. Y entonces empezó desde Luanda, y por iniciativa portuguesa, una presión sobre Buenos Aires para hacer entrar cargamentos de negros a cambio sólo de "ouro, prata e pedras preciosas".

Pero sea por la precariedad de este tráfico, por las resistencias políticas de los gobernadores de Buenos Aires o por el

101

coincidente fortalecimiento militar lusitano, la política comercial fue dejando paso, finalmente, al intento de conquista territorial como base física para otra política mercantil. Almeida lo cuenta así: "Sin dejar de recomendar, en sucesivas instrucciones, a los gobernadores del Brasil y de Río de Janeiro, durante la década de 1670, las diligencias convenientes para la renovación del tráfico platino, el regente D. Pedro resolvió, por fin, establecer una base permanente cerca de Buenos Aires, en la entrada de la gran vía de comunicación de las provincias del Plata con el Atlántico".

Con el antecedente de que ya en tiempos de Carlos V el rey D. Juan III, por intermedio de su embajador Álvaro Mendes de Vasconcelos, había solicitado una rectificación del Tratado de Tordesillas para legalizar el Río de la Plata como límite austral de la América portuguesa, D. Pedro II solicita un pronunciamiento jurídico de su Consejo Ultramarino. En 1675 el Consejo se expide afirmando que la costa norte del Río de la Plata es tierra portuguesa.

El momento elegido para esta consulta y pronunciamiento no es inocente. Desde 1672 la confundida España de Carlos II está otra vez complicada en una guerra europea, esta vez como aliada de Francia contra Holanda. Y después de las paces con España y Holanda, D. Pedro II ha logrado dar a Portugal una política de neutralidad en los asuntos europeos que mantendrá durante todo su reinado —y legará a sus herederos— dejándole las manos libres para resoldar y fortalecer los pedacitos del imperio ultramarino.

Sobre ese dictamen, D. Pedro otorga capitanías "hasta la boca del Río de la Plata", y obtiene una decisión papal de aspecto inocente pero de sentido profundo: se crea el Obispado de Río de Janeiro que reconocerá también como límite austral las costas del Plata. La España confundida no protesta por ninguna de ambas decisiones geopolíticas.

Ya está armado el esqueleto jurídico y político de la marcha portuguesa hacia el sur. Y ese cuerpo de política tiene músculos económicos, pero también territoriales, asunto que me ha reiterado en nuestras conversaciones en Lisboa el profesor Magalhães Godinho. Para él, un factor crucial de la marcha portuguesa hacia el sur era el crecimiento desmesurado de la soberanía jesuita.

Magalhães Godinho subraya que desde muy temprano la Corona portuguesa tuvo conciencia del peso enorme de la Compañía de Jesús en sus colonias americanas. Y que esta soberanía furtiva mostró sus verdaderas intenciones autonómicas cuando a principios del siglo XVII propuso el establecimiento de una organización laica pero controlada por los jesuitas para hacerse cargo de los negocios en Asia. Lisboa estaba alertada y el abultamiento de las misiones en la Cuenca del Plata habría sido tema de preocupación política principal.

Estos puntos de vista del distinguido historiador lusitano no son contradictorios con el juego general de los intereses políticos en la región. Porque debido a las razones teológicas y morales que ya hemos visto, la Compañía de Jesús resultaba una aliada confiable para la Corona española y una suerte de oposición interna para la portuguesa.

De plata fue el sueño portugués del Plata. Y la aritmética es cabal: en Buenos Aires, el metal precioso valía ocho reales, mientras que en el Brasil montaba a dieciséis. Lisboa, los banqueros del partido español y el conjunto de la sociedad del Brasil platino volvían a construir el puente con Buenos Aires, mediante la conquista, la fundación, la negociación diplomática y el comercio. Un comercio que por las artes de la negociación política nacerá siendo menos "contrabando" de lo que en general se supone.

Porque las cosas sucedieron de este modo: los portugueses fundaron Colonia en 1680 y enseguida fueron atacados y derrotados por un poderoso ejército hispano-guaraní; a continuación se abrieron las negociaciones entre las dos Coronas y por el Tratado de Restitución España reconoció la ocupación portuguesa. Pero atendiendo a las quejas de Buenos Aires aceptó que la zona del asiento portugués fuese tenida como vecindad de la ciudad, conservando ésta el derecho de aprovisionarse de los productos locales de la zona como había hecho antes del ataque. En la negociación diplomática se había aceptado el principio de que para Buenos Aires la economía de la región ocupada seguía siendo parte de su entorno con la que podía realizar un legítimo comercio de vecindad. ¡Qué mejor para la estrategia portuguesa!

Es en las cláusulas de ese Tratado Provisorio de Restitución firmado por ambas Coronas en Lisboa el 7 de mayo de 1681 donde se vuelven a conciliar los intereses económicos que habían partido la ruptura de la monarquía dual. Porque si bien en el artículo 9 se mantenía la prohibición de comercio por mar, en los artículos 7 y 8 se autorizaba a los vecinos de Buenos Aires a que siguieran aprovisionándose de madera, ganado, carbón, pesca y otros productos en la zona de "San Gabriel", a que vivieran en buena vecindad ibérica y a que los navíos españoles pudiesen acostar y aprovisionarse en la colonia portuguesa.

Estas concesiones parecían generosidades portuguesas para no perjudicar la vida cotidiana de Buenos Aires. Pero por ellas se filtrará un comercio de vecindad que muy pronto superará el ganado y el carbón. ¿Podemos dudar del beneplácito con que los vecinos de Buenos Aires, languidecientes desde la ruptura de la monarquía dual, recibían estas liberalidades con el nuevo vecino portugués? Los plenipotenciarios que firmaban en Lisboa aquel Tratado, más allá de las intenciones de las Coronas —aunque la lusitana no era ingenua—, estaban trabajando para el partido español del Brasil y para el partido portugués de Buenos Aires.

Cuando después los funcionarios castellanos y todos los historiadores hablen de "contrabando", lo estarán haciendo para señalar que ese tráfico de vecindad fue desnaturalizado sirviendo de excusa para un comercio en gran escala de todos los productos prohibidos, empezando por la plata. Pero lo que me interesa señalar es que se trató de una desnaturalización, lo que permite comprender por qué ni en Madrid ni en Lima se pudo apelar a la simple prohibición de todo contacto, que habría sido una medida fácil de ordenar. La frontera entre la América portuguesa y la española estaba toda cerrada, excepto en la boquita del comercio de vecindad entre Buenos Aires y Colonia. Y Buenos Aires se encargará muy bien de poner todo su peso político, durante los cien años siguientes, para que esa autorización no se modifique; y sus comerciantes se ocuparán de que ese permiso se convierta en una voluminosa brecha de comercio internacional. El contrabando no era una maldad portuguesa, sino un acuerdo tácito de intereses del mundo platino, portugués y español, hijo de la monarquía dual y definitivamente ganado para la convivencia, el destino atlántico y el cosmopolitismo. Pero era otra vez un acuerdo asimétrico: no incluía lo político.

En cumplimiento de las reales órdenes del Príncipe Regente Don Pedro —amparadas por el pronunciamiento del Consejo Ultramarino y la bula papal de creación del Obispado de Río— el gobernador de Río de Janeiro, Don Manuel Lôbo, partió de Santos el 8 de diciembre de 1679 al frente de una flota de cinco velas, donde embarcaban tres compañías de infantería, una de caballería, una unidad de artillería, formadas por trescientos hombres más una dotación de indios, negros y religiosos. La armada portuguesa se dirigía al Río de la Plata. Por primera vez desde el descubrimiento del Nuevo Mundo una considerable fuerza militar iba a entrar en son de guerra en las apacibles aguas del "Mar Dulce". Mudanza de la historia.

Después de discutir la abundante información geográfica de la región comprendida entre Santa Catarina y el Río de la Plata que las autoridades portuguesas habían reunido, se tomó la decisión de emplazar la nueva colonia en la región de San Gabriel, justo frente a Buenos Aires. Era el emplazamiento más adentrado en el estuario, el más cercano a Buenos Aires y el que podía amenazar, desde el sur, las misiones jesuíticas que los bandeirantes acosaban desde el norte. Se había elegido la localización más audaz.

El 20 de enero de 1680 la flota portuguesa ancló en San Gabriel y de inmediato se inició la construcción del poblado y fuerte de Nova Colonia do Sacramento.

Apenas avistada la flota extranjera el gobernador de Buenos Aires, Don José de Garro, adoptó las primeras providencias y en cuanto Lôbo hubo desembarcado en San Gabriel, las autoridades españolas despacharon emisarios intimando la desocupación del sitio. Ante la negativa portuguesa, los hispano-porteños iniciaron los aprestos militares.

El 7 de agosto de 1680, dos horas antes del amanecer, las tropas españolas al mando del maestre de campo Antonio de Vera Mujica inició el ataque a la fortificación portuguesa. El ejército atacante estaba formado por 250 soldados españoles, un grupo de gauchos de a caballo y 3.000 indios guaraníes encuadrados por los padres. El combate duró sólo una hora, pero fue suficiente para provocar 150 muertos y otros tantos heridos y la prisión del gobernador portugués y toda su guarnición.

Las fuentes portuguesas atribuyen la gran mortandad a la ferocidad con que los indios guaraníes exterminaban a los lusitanos y suelen sorprenderse por esta impiedad que los padres presentes no habrían intentado evitar. No cuesta mucho comprender que después de más de un siglo de ataques bandeirantes contra los poblados guaraníes, los indios-soldados no estuviesen propensos a la misericordia con los cazadores de esclavos...

Pero en aquella jornada, aquel 7 de agosto de 1680, en las costas del gran río habían combatido los generales, la infantería, la caballería, la artillería y los cañones navales de dos potencias europeas en un hecho de armas sin precedentes. Cuatro mil hombres intervinieron en la batalla, un contingente nunca visto y que anticipa en más de un siglo la gran expedición Cevallos-Casa Tilly y las grandes formaciones militares de la Guerra de la Independencia. Habían concluido los tiempos de la colonia despreocupada. La magnitud del hecho de guerra estaba anunciando la magnitud del conflicto político y económico en marcha.

Dos retoños nacían del sangriento choque: el bautismo de fuego del ejército jesuítico-guaraní en un conflicto internacional y la entrada súbita del Río de la Plata en un destino militar y en la geopolítica de las dos Coronas ibéricas. En la recomposición de los dos imperios después de la ruptura de la monarquía dual, el Río de la Plata quedaba convertido en la frontera caliente. Portugal lo comprendió enseguida, España necesitó más de cuarenta años.

La diferente percepción se manifestó de inmediato. La vigorosa y eficaz respuesta militar de los españoles americanos —que atacaron al invasor sin esperar el parecer de Madrid— fue desautorizada por los negociadores de la España metropolitana que en el Tratado de Restitución sentaron el precedente de reconocer los derechos portugueses. Con aflicción que podemos imaginar, los militares españoles y los padres con sus soldados debieron desocupar la plaza tomada y restituirla a los vencidos.

Pero en medio del duelo por haber perdido en la mesa de negociaciones lo que habían ganado con las armas, los vecinos de Buenos Aires se adaptaron felizmente a la nueva situación.

Y escudados en aquel comercio de vecindad encontraron un nuevo cauce para salir del encierro económico imperial. Se trataba de plata a cambio de esclavos y toda clase de mercaderías extranjeras, especialmente inglesas. Pero no nos dejemos encandilar por el fulgor del metal precioso; se estaba creando un espacio económico rioplatense-brasileño que se llenaría de otros rubros, paso a paso.

Ya cuando a mediados del siglo Salvador Correia de Sá argumentaba sobre las bondades de la región cuya donación solicitaba para su familia, hablaba al rey del "provecho en carnes para el sustento del Brasil y en corambres". Y cuando algunos años después Antonio Rodrigues de Figueiredo se dirige al rey para propiciar la colonización del sur, señala la posibilidad de surtirse en Buenos Aires y toda la región de caballos de buena calidad, que escasean en Río.

Todo esto diversificaba y multiplicaba las posibilidades portuguesas de Buenos Aires porque en carnes, cueros y caballos la ciudad no dependía del controlado y dudoso tráfico con el Alto Perú como simple intermediario, sino que podía pensar en el desarrollo de su propia "campaña". Cuando en el tiempo futuro la producción de Potosí decaiga y la sed portuguesa de plata disminuya, Buenos Aires tendrá en estos productos menos prestigiosos pero más permanentes sus títulos para seguir integrando el espacio económico portugués.

Y habrá para probarlo un momento crucial: en 1696, cincuenta y seis años después de la Independencia, Portugal se anoticia de que los bandeirantes han descubierto importantes lavaderos de oro en el corazón del Brasil, en la región que entonces empezará a llamarse Minas Gerais. El oro de los bandeirantes será el nuevo maná del Brasil austral.

Pero por todos los nexos que en los cincuenta y seis años intermedios se han ido creando, este milagro mineral tampoco será extraño al destino de Buenos Aires y el Río de la Plata español. Al contrario, como el impulso portugués había logrado recrear el puente con Buenos Aires y atraer a su estela los quehaceres económicos de la pequeña ciudad española y su "hinterland", la inmensa revolución mineral que se va a iniciar en Minas Gerais también será un destino para los hispano-rioplatenses. Es que en 1696, entre Río de Janeiro y Buenos Aires se ha formado ya un espacio económico duradero, que si nació mirando a la plata potosina empezará a vivir ahora con los ojos puestos en el oro del Brasil. Pero ésta es otra historia, que ya se inicia.

Si los sesenta años de monarquía dual habían fundado el Brasil platino, los cincuenta y seis años siguientes empujarán ese Brasil desnortado a marchar hacia el sur, cimentando la presencia portuguesa en el Río de la Plata. En 1640, Río de Janeiro y Buenos Aires se habían quedado huérfanas de destino. Pero los portugueses americanos, dotados de más recursos, incluidos en un sistema más rico, menos aislados en el conjunto imperial y con el apoyo político creciente de su Corona, lograrán encontrar un proyecto alternativo.

Buenos Aires, aislada, empobrecida y sospechada de atlantismo y cosmopolitismo —dos pecados en el Imperio español— no tendrá más esperanza que entrar en la estela de la dinámica portuguesa, lo que hace con diligencia, aunque sin abandonar la tradicional lealtad política al mundo español. A fines del siglo XVII, los gobernadores de Buenos Aires y los virreyes del Perú de quienes dependen volverán a quejarse de los amores económicos de la ciudad con los negocios portugueses, repitiendo como en un calco la situación ambivalente de los tiempos de Hernandarias y Diego de la Vega. Por entonces, mientras la ciudad española logra llegar a los 3.000 habitantes, el asiento de Colonia tiene nada menos que 1.000, medida de la presencia portuguesa en la región.

Nos acercamos al punto culminante del Plata portugués, antes de la reacción imperial de España. Y este tiempo dejará también marcas indelebles en la formación política, cultural y económica de nuestro mundo. Algunas ya están a la vista. Otras decantarán sobre esa matriz definitiva: un Río de la Plata frontera, cosmopolita, militarizado, comerciante y atlántico.

Como veremos luego, esa matriz es ya tan propia, tan autónoma, tan vertebrada que podrá dejar atrás su fundadora dependencia de la plata potosina para seguir creciendo hacia el Atlántico en la era de oro del Brasil.

8. Río de oro

La historia económica del imperio portugués podría ser toda dibujada desde una óptica monetaria. Ningún otro de los grandes espacios económicos mundiales padeció tanto la penuria de recursos monetarios. Y aquella penuria crónica trajo inmensas consecuencias políticas que ya conocemos. ¿Qué pasaría si un día la infatigable búsqueda de metales preciosos daba frutos? Lo que está por pasar ahora, en 1696, a casi trescientos años de los primeros viajes lusitanos por la costa africana y a doscientos de las dos grandes aventuras divergentes, la de Cristóbal Colón y la de Vasco da Gama.

Aunque los hallazgos de oro aluvional en los ríos de la región que hoy se llama Minas Gerais parecen remontarse a algunos años antes, es hacia 1696 que las autoridades coloniales tienen las primeras noticias del milagro. Los bandeirantes, buscadores privados de un destino público, habían por fin encontrado sedimentos áureos de importancia. Los afortunados no tenían el menor interés en anoticiar a los funcionarios coloniales ni la más remota intención de someterse a sus regulaciones. No en vano eran logros privados de una sociedad privatizada.

Las fabulosas noticias que llegaban con retardo a un lugar tan lejano como Lisboa se filtraban con mayor facilidad por todos los poros del imperio. Y una "fiebre del oro" floreció en las montañas "mineiras". Los paulistas procuraron ocupar los mejores yacimientos, apelando a una mano de obra esclava —indígenas y africanos— que pronto se volvió crítica. Pero enseguida, también portugueses y brasileños de otras comarcas emprendieron la marcha, formando la gran columna de viajeros áureos que recibirían el nombre de "emboabas".

En Lisboa, don Pedro II reaccionó con su energía habitual, procurando asegurar a la Corona el "quinto real", un impuesto de la quinta parte del oro extraído tal como se aplicaba en todo el mundo ibérico para los metales preciosos. Pero en política, querer no es poder. Cuando se recuerda todo lo que le costó a la poderosa Corona española de tiempos de Felipe II hacer cumplir el quinto real para la plata potosina —y todas las trampas de que fue víctima— se puede sospechar la lenidad de las disposiciones de D. Pedro II, que no tenía ni el poder del Gran Rey, ni su perfecta máquina estatal, ni su capacidad de policía mundial. Además, y no es lo de menos, el volumen diminuto del oro en comparación de valor con un embarque de plata hacía el timo mucho más fácil. En aquel tiempo, para ocultar un valor equivalente de plata y oro había que contar una relación de 15 a 1 en el volumen del metal.

La edad de oro del Brasil que empezaba en 1696 tenía así sus tres llaves maestras: un formidable, desordenado y pronto caótico esfuerzo privado, un enfrentamiento que se volverá guerra abierta entre paulistas y "emboabas" y la obsesiva preocupación de la Corona por asegurarse su quinto. Estas llaves pueden resumirse en dos conclusiones de mayor alcance: el estado imperial portugués era absolutamente incapaz de gobernar y potenciar este tan esperado milagro minero y la autonomía consolidada del Brasil platino se pondrá otra vez de manifiesto en la fantástica aventura de su oro.

En sus comienzos, la extracción del oro fue de sencilla factura, limitándose al lavado de las arenas y a la búsqueda en los bancos y costas de los ríos. Luego hubo de apelarse a técnicas más trabajosas, como el desvío de los cursos de agua para zarandar sus lechos. Y en algún momento se llegó a la búsqueda subterránea. Pero para los mineros y para la autoridad imperial, la minería del oro era una simple actividad extractiva, que no estaba acompañada con ninguno de los grandes esfuerzos de inversión e invención que sustentaban la prosperidad de la América española.

"Los portugueses estaban lejos detrás de los españoles en las técnicas mineras, y los mayores trabajos en Minas Gerais no pueden compararse con los de México y el Alto Perú", dice C. R. Boxer.[27] Y Caio Prado Junior es aun más categórico: "(La administración) nunca pensó seriamente en otra cosa que en los quintos, el tributo que los mineros debían pagar (...) No se dio un solo paso para introducir en la minería ningún mejoramiento; en vez de técnicos para dirigirla, se mandaban simples cobradores fiscales (...) No se encuentra (en las Intendencias) durante un siglo de actividades, una sola persona que entendiese de minería".[28]

Si esto sucedía en lo más sensible del universo minero —la extracción del oro mismo—, puede imaginarse sin dificultad el estado anárquico del resto de la sociedad y sus consecuencias. Los afiebrados buscadores emprendían la marcha hacia las montañas sin imaginar que morirían de hambre en el camino o apenas llegados a destino. Cuando al viaje culminaba con bien, se encontraban luchando por la posesión de los yacimientos. Y cuando lograban algunas extracciones debían poner su vida en la defensa del producido.

La desorganización era completa y mucho antes de pensar en cumplir los deberes de la fe o del vasallaje, los mineros debían asegurarse el sustento pagando precios descomunales por la más modesta vitualla. Mientras que un esclavo negro podía producir en promedio unas 16 "oitavas" de oro por día, debían pagarse 12 por un pollo escuálido, 32 por un gato o un perrito y 30 a 40 por un "alqueire" de maíz. Nadie, y mucho menos la Corona, había previsto la organización de la sociedad que se formaba alrededor del milagro áureo.

Pero entre los padecimientos, los crímenes y la inverecundia gubernamental, el distrito minero fue tomando forma. De su espontaneidad queda un testimonio maravilloso: la actual ciudad de Ouro Preto, la antigua Villa Rica de Albuquerque, a la que el célebre gobernador de Río, Antonio de Albuquerque Coelho de Carvalho, pretende darle su nombre cuando la funda oficialmente en 1711. La Corona preferirá que se llame Villa Rica de Ouro Preto pero quedará diseñada según los caprichos de los emprendimientos mineros. Porque como los mineros van construyendo sus viviendas en los predios adjudicados para la extracción, esas primeras casuchas se colgarán de los morros sin ningún orden ni criterio urbanístico, sino siguiendo el imperativo mineral. Por eso la riquísima ciudad, protegida hoy como "patrimonio de la Humanidad", tiene la forma caprichosa de una montaña mágica. De ella dirá Simão Ferreira Machado en 1733: "Es, por su posición natural, la cabeza de toda América; y por la abundancia de su riqueza la perla preciosa del Brasil".[29]

Desordenado, arrebatado, impetuoso, trabajosamente cimentado en un terreno que ningún urbanista hubiese elegido, estaba naciendo el Potosí portugués; éste, dorado. Y muy pronto los golpes de oro brasileño empezarán a impactar la economía de América del Sur y de la metrópoli. Era oro legal y oro de contrabando, en proporciones que aún es imposible determinar con precisión. Pero sabemos que de oro legal salieron de la nueva minería 725 kg en 1699, 1.785 en 1701, 4.350 en 1703 y nada menos que 14.500 en 1712.

Se acepta que el oro salido de contrabando puede triplicar la cifra del mineral legal, y por eso el ponderado Magalhães Godinho calcula que ya hacia 1703 el oro procedente de Minas Gerais excedía el obtenido por Portugal en Guinea desde la fundación de Mina en 1482 y todo el que España pudiera haber recibido de sus reinos americanos a lo largo del siglo XVI. Un verdadero río de oro había nacido en el corazón del Brasil.

La fabulosa riqueza estimuló el frenesí. Y pronto las ambiciones encontradas degeneraron en violencia. El Brasil privado de los paulistas —que rengueaba de la pata del Estado y la imposibilidad de transar los conflictos privados en el marco de la ley— desencadenó la guerra civil. Los paulistas, dueños primitivos y descubridores incontestados del fabuloso tesoro, decidieron poner coto a la llegada de los emboabas.

Esta guerra de buscadores, mercaderes, aventureros y cazadores de esclavos dio a la Corona la oportunidad histórica de restablecer su soberanía en este retazo dorado del Imperio. Pero aun esta acción tiene su marca típicamente brasileña. Porque por carta real del 22 de agosto de 1709 se ordena al gobernador de Río, Albuquerque, que con un apropiado acompañamiento militar entre en la región de las minas y restablezca la paz y la sujeción a la autoridad real. Pero cuando esa orden llega... el gobernador ya estaba en viaje por propia iniciativa.

Con esta exitosa acción militar y la inmediata fundación oficial de las poblaciones mineras ya preexistentes, el río de oro comenzaba a ser encauzado, aunque sin perder nunca el ánimo emprendedor y rebelde que es la marca del Brasil platino y sus frutos.

Estos sucesos de oro tendrán poco después un complemento no menos espectacular: los diamantes. Y es en la misma región y en la misma época de que estamos hablando dónde y cuándo se produce el nuevo milagro. Pero la Corona recién logra intervenir eficazmente en 1729, cuando se anoticia de que las notables piedras circulan en secreto y al margen de toda regulación y fiscalidad.

Los yacimientos de diamantes provocaron problemas de control aun más delicados que en el caso del oro. Pero, al mismo tiempo, el esfuerzo extractivo era menor, requería menos hombres y estaba mucho más limitado en el espacio. Lisboa toma nota de ello y obra en consecuencia: forma un distrito diamantino completamente cerrado, con un centro administrativo en Tijuco bajo la autoridad de un intendente virtualmente autónomo respecto del Estado colonial. Y esta autoridad abroquelada se hace cargo de la región, administra las minas en nombre de la Corona y vigila la producción de diamantes con un celo ejemplar.

Parecía que el distrito diamantino estaba en la dimensión de lo que el Estado imperial portugués de principios del siglo XVIII podía administrar eficazmente. Concentrando toda su menguada autoridad en un pequeño territorio para obtener un grandioso rendimiento, el Estado portugués confirmaba por descarte la desbordante autonomía del resto del Imperio americano.

Con el oro y los diamantes —en ese orden de importancia— la América portuguesa había encontrado un nuevo destino. En un momento en que la crisis del mercado mundial del azúcar, por la superproducción de los nuevos plantíos antillanos, ten-

111

día un manto de sopor sobre el Brasil pernambucano y bahiense, los brasileños del sur se volvían protagonistas. Y el bullente distrito minero de la nueva Capitanía de San Pablo y las Minas se erguía como núcleo de una nueva civilización.

El núcleo era grande y fuerte. A fines del siglo XVIII, en su punto de madurez económica y social, la región de Minas Gerais tendrá 600.000 habitantes, una población equivalente a la del Alto Perú crecido en torno de Potosí. Y ese núcleo, convertido en boca de comunicación con el mercado mundial gracias a la universalidad de su producción, hará girar en torno de sí un espacio económico y social cada vez más grande, tal como había sucedido con el Potosí español del siglo XVI.

Esas equivalencias son fundantes. Una de las tesis centrales que he sostenido en *La Argentina renegada* es que la Argentina tucumanesa, la que importaba durante los siglos XVI y XVII en términos económicos y sociales, fue la hija de la prosperidad minera de Potosí. Y por esa relación recibió también los mandatos políticos, ideológicos y culturales de la España filipina y la patria indiana. Es menester decir que ahora es la Argentina rioplatense o platina la que encontrará en el distrito minero del Brasil un polo de atracción económica equivalente.

Claro que el paralelismo no es total. Porque cuando el Brasil platino se vuelve polo de atracción, el Río de la Plata español ya tiene más de un siglo de fundación, historia, cultura y pertenencia a la hispanidad y al gran reino del Perú. Potosí funda la Argentina tucumanesa y Ouro Preto sólo reengancha la Argentina rioplatense al mercado mundial y a la economía moderna. No es lo mismo, pero no es poco.

Lo que sí es similar es el modo de atracción. Los cientos de miles de pobladores del Brasil minero necesitarán superar las penurias de los primeros tiempos y ser abastecidos generosamente de alimentos y de toda clase de productos de consumo y producción. Y se los puede pagar con el oro en cantidades ilimitadas. La bomba aspirante de Minas Gerais se pondrá pronto en marcha y sus ondas llegarán hasta las pampas argentinas, después de haber cruzado con toda su potencia la tierra de nadie hispano-lusitana que se extiende desde el Río de la Plata hasta la meseta paulista. El oro y los diamantes darán un nuevo sentido a la marcha portuguesa hacia el sur, un nuevo significado a la Colonia del Sacramento y una nueva esperanza a la española Buenos Aires.

El Brasil minero pedirá a las tierras del oeste esclavos indios que puedan capturarse contra la vigilancia de los padres jesuitas. Y algunas de esas cruentas expediciones logran encadenar decenas de miles en poco tiempo. Y pedirá a las tierras del sur tres productos vitales para su supervivencia: carnes, cueros y caballos. Sobre estos tres productos se construirá el espacio económico minero proyectado hacia el sur, cruzando las regiones subtropicales y templadas de la tierra de nadie y dando nuevas funciones económicas a Colonia y a Buenos Aires.

La funcionalidad de esos productos para abastecer los distritos mineros es clara. Las tierras de pastoreo cercanas a la región minera eran incapaces de abastecer de carnes en los volúmenes requeridos por tan grande población y las tropas de arreo que venían del valle del río San Francisco, al norte, hacían muchas veces hasta mil kilómetros de marcha, y los animales llegaban descarnados al sitio de faena. Así, las carnes frescas se reservaban para los sectores sociales altos, quedando pendiente el abastecimiento de una población esclava que solamente en adultos y para las minas propiamente se calculaba entonces en 100.000 bocas. Para ellos, las carnes inferiores obtenidas mediante secado y salado como cecinas y tasajos eran un recurso indispensable, y vendrán de las regiones platinas.

El cuero en todas sus formas y los caballos y mulares —que en las regiones del sur eran de muy superior calidad— valían no sólo como elementos de consumo, sino como partes indispensables del equipamiento productivo. Y no en vano es en esta etapa, el primer cuarto del siglo XVIII, cuando las exportaciones de cuero de Buenos Aires registran una sorprendente vitalidad.

De modo que tal como Potosí puso a trabajar a la Argentina tucumanesa en abastecerle de mulas, textiles y trigo, Ouro Preto llamó en su auxilio a las tierras del sur, ahora las de la vertiente atlántica, para que le proveyeran los alimentos y el equipamiento que el oro necesitaba y podía pagar.

Claro está que entre ambos procesos económico-geopolíticos hay una diferencia fundamental: el derrame de la prosperidad potosina se hacía todo por tierras españolas, sin sombra de conflicto jurisdiccional, mientras que la expansión "mineira" recorrerá territorios en conflicto, zonas de soberanía indefinida y ciudades de clara lealtad extranjera, como Buenos Aires. Potosí fertilizó a las provincias imperiales de España; Ouro Preto excitó el despertar económico de una región cuya marca distintiva era ser tierra de frontera.

Y algo más de una importancia difícil de exagerar. Tanto Potosí como Ouro Preto generaban riqueza de fuerte demanda y seguro valor internacional y, por eso, conectaban a sus economías dependientes con los valores internacionales. Para atrás, ambas provocaban un desarrollo comercial que dará origen a actividades productoras de bienes. Pero el comercio proveedor generado por Potosí era "nacional", mientras que el promovido por Ouro Preto resultaba forzosamente internacional.

En la realidad de la época, esta diferencia es abismal. Significa que los abastecedores de Potosí pueden distanciarse relativamente de los precios, técnicas y calidades internacionales por estar protegidos gracias a la barrera aduanera imperial, mientras que los proveedores de Ouro Preto nacen expuestos a los vientos del mundo, sin otra fuerza de negociación que la proximidad geográfica y siempre amenazados por importaciones de otro origen.

El mundo que trabajaba para Potosí podía tener ineficiencias e ideología de economía "cerrada"; los que lo hacían para Ouro Preto no podían permitirse ni lo uno ni lo otro. Los abastecedores rioplatenses de la minería brasileña vivirían actuando y pensando en términos de libertad comercial y apertura a la competencia.

Los portugueses actuaron siguiendo el mandato de la ventaja geográfica, y mientras defendían Colonia y trataban de tentar y asociar a Buenos Aires, descubrieron que había llegado el tiempo de ocupar y poblar "el continente de Río Grande". Cuando fundaban Colonia habían poblado también la acogedora isla de Santa Catarina. Y esta fundación de un puerto-presidio y el poblamiento de una isla honraban la tradición ideológica del imperio marítimo. No puede, pues, sorprendernos que mirando hacia el oeste desde las costas isleñas, los portugueses hablaran de un "continente". Su poblamiento desafiaba la tradición imperial, pero sería funcional a los requerimientos de la magna colonia minera brasileña que estaba por nacer.

Apoyados en Laguna, que fundan en 1684, apuntan hacia el sur y el oeste. Y en cuanto la sed minera de abastecimientos se agudiza, las iniciativas particulares se pondrán a la obra. Así es la del aventurero Domingo Fernandes de Oliveira que se ofrece para arrebatar el ganado pampeano de las cuchillas riograndenses y uruguayas. Y sobre esta iniciativa y el expreso apoyo de la Corona, el teniente gobernador de Río, brigadier José da Silva Pais, avanza hasta fundar, el 19 de febrero de 1737, la población de Río Grande de San Pedro. La osadía portuguesa ha llegado al límite de la tolerancia española, que es casi el límite costero actual entre el Brasil y el Uruguay.

Desde allí Silva Pais organiza un gigantesco rodeo de hacienda baguala. Según las quejas bien documentadas del gobernador de Buenos Aires, Silva Pais reúne en los alrededores de la laguna Mirim una tropa de 180.000 vacunos y entre 120.000 y 140.000 yeguarizos. ¡De qué abastecer la insaciable voracidad del Brasil minero!

A estos gigantescos rodeos de hacienda baguala de los primeros momentos, seguirá enseguida la formación de grandes estancias, capaces de especializarse en los vacunos y los yeguarizos pero, muy pronto también, en la producción del híbrido difícil y deseado: los mulares. Y se produce un hecho curioso que al mismo Sérgio Buarque le cuesta explicarse: el Rey prohíbe la cría de mulares arguyendo que su producción disminuirá la disponibilidad de caballos.

Esto sucede en 1761, cuando los mineros no tienen ninguna duda de que la mula es mejor y más económica que el caballo para las tareas productivas, tal como habían sabido doscientos años antes los mineros españoles del Potosí. Pero este Portugal —que no es otro que el del virrey de la India que quince años antes dijo "este Estado es una república militar"— todavía tiene dificultades para entender la diferencia entre las prioridades del viejo imperio marítimo y los reclamos de la colonización continental. Y está preocupado porque le falten caballos de combate a la "república militar".

Por supuesto que los mineros harán entrar en razones a la Corona y la producción de mulares crecerá a la par de las grandes tropas de vacunos y yeguarizos. Las interminables caravanas que suben del sur arreadas por los troperos llevarán mezclados los animales de las estancias portuguesas con los uruguayos, correntinos y entrerrianos y hasta los que puedan pasar desde las pampas bonaerenses. Mezclados los animales y mezclados también los troperos, los arrieros, los gauchos. Todos transitan por el gigantesco espacio económico nuevo, que brilla con el oro de Ouro Preto en la cima de la Villa Rica y en la trepidante vitalidad portuaria de Río de Janeiro, pero que se extiende con su manto verde por los pastizales rioplatenses, sin acordarse casi nunca del trazado de los límites políticos entre ambos reinos.

Y las tropas marchan hacia el norte, a un punto de confluencia donde se concretan los negocios y se distribuye el producido, una encrucijada comercial de donde se llega con igual facilidad a Río, a San Pablo y a Minas: Sorocaba. El Sorocaba brasileño de 1750 es la Salta española del 1600.

El río de oro llegó a Lisboa. En 1706 D. Juan V sucedió a D. Pedro II en el trono portugués, iniciando cuarenta y cuatro años de reinado de un lujo y una prodigalidad legendarios. Dos reyes, dos estilos y dos tiempos. Álvaro Teixeira Soares, en su minucioso y bello *O Marquês de Pombal*, compara: "Es curioso señalar la diferencia viva entre los dos monarcas: uno, ambicioso, tenaz, tormentoso y jugador; el otro, trabajador, aparentemente displicente, orgulloso de las apariencias, más profundamente humano, culto y frívolo, con los ojos puestos en Versalles".[30]

115

Juan V cruzará su tiempo y su reinado navegando sobre el río de oro del Brasil con su espuma de diamantes. Y puesto a la cabeza de una sociedad sin Estado, de un país internamente pobre, desconfiado e ignorante —que según Teixeira "se desoccidentalizaba"— y con una economía cuya única especialidad era la intermediación, no pudo, no quiso o no supo capitalizar el milagro.

Pero fue protagonista de tres políticas decisivas: gracias a la abundancia de riquezas pudo dejar de convocar a las Cortes para solicitarles ayuda financiera y de este modo consolidó la monarquía absoluta, facilitó la formación de una fuerte burguesía comercial e intermediaria que empujaría a la vieja nobleza y confirmó la prioridad absoluta de la expansión hacia el Río de la Plata en el conjunto de su política imperial e internacional. Esas políticas serán la semilla de la venidera dictadura del marqués de Pombal y del choque final y estruendoso de España y Portugal en las costas atlánticas de la América del Sur, entre Río de Janeiro y Buenos Aires.

De 1720 a 1780 el río de oro y diamantes transformará a los reyes de Portugal en monarcas poderosos, capaces de tejer alianzas europeas de monta y financiar operaciones militares de mayor alcance en todas las comarcas del encogido Imperio. Pero hasta la muerte del rey Juan V, esa capacidad no se articula en una gran política, sino que va dando muestras sólo ocasionales de dinamismo. Claro que no se puede perder de vista este vigor nuevo de Portugal para entender la prudencia con que España actúa frente a la agresividad lusitana en el Plata.

Un punto culminante de este forcejeo aún desarticulado es la acción del embajador, ministro y consejero Alexandre de Gusmão, natural del Brasil, que en las postrimerías del reinado será el hombre capital y tendrá a su cargo nada menos que la negociación del Tratado de Madrid de 1750. Es en ese tratado donde una Epaña aún invertebrada y temerosa acepta la cesión de los "Siete Pueblos" reconociendo los derechos portugueses a la margen izquierda del río Uruguay, encerrando en esa soberanía el "continente" de Río Grande hasta la aún disputada margen oriental del Plata.

Con Alexandre de Gusmão aparece en la dirigencia portuguesa una visión más moderna del Estado. Al igual que el Matienzo peruano de dos siglos antes, Gusmão encuentra que los recursos fiscales del reino no tienen por qué reducirse a la percepción del quinto real sobre los minerales, sino que toda la actividad económica de la América portuguesa puede tributar en sus distintas etapas de actividad. Para ponerlo en obra, Gusmão imagina y diseña un conjunto de reformas para el Brasil, capaces de darle un gran impulso modernizador. También esta semilla germinará durante el futuro gobierno de Pombal.

Pero la nueva lucidez de la dirigencia portuguesa no podía ignorar el significado internacional de la prosperidad americana. Gusmão predice entonces una invasión de conquista de Inglaterra contra las costas del Plata, adelantándose en medio siglo a los acontecimientos que luego sucederán. Y en 1740, cuando España e Inglaterra están enredadas en la llamada "guerra de la oreja de Jenkins", el joven diplomático recién designado embajador portugués en Londres, Sebastiao José de Carvalho e Melo, futuro marqués de Pombal, libra oficio a su superior en Lisboa, el ministro Azevedo Coutinho, advirtiéndole del riesgo de un inminente ataque inglés a Buenos Aires.

¿Por qué no? En un momento culminante de su poder internacional, cuando sus acciones diplomáticas y militares le han asegurado el predominio marítimo y las flotas mercante y de guerra de Portugal y España están debilitadas, Inglaterra puede trazar la política marítima casi a su antojo. Y a mediados del siglo XVIII, estando la prosperidad áurea del Brasil en su apogeo y la producción de plata potosina en un nuevo punto de equilibrio, el Río de la Plata se ha convertido, con parejo atractivo, en un "río de la plata y del oro".

El viejo Mar Dulce de Solís es ahora el camino hacia la plata de Potosí y hacia el oro de Minas Gerais y no hay ningún otro punto del planeta que ofrezca semejante conjunción geoeconómica. Para Inglaterra, dueña del mar y constructora de un imperio comercial mundial que será la réplica del portugués fundacional del siglo XVI, los dos metales preciosos son también el lubricante vital.

Inglaterra intentará todos los procedimientos. Ya dispone del asiento de esclavos en Buenos Aires concedido por España por el Tratado de Utrecht, pero las informaciones portuguesas sobre proyectos militares son veraces y tan conocidas en Lisboa como en Madrid. Por encima de las concesiones económicas y los aprontes bélicos —que culminarán con las invasiones inglesas de 1806 y 1807—, la aparición sistemática de este tercer protagonista confirma un destino: el Río de la Plata y su región son tierra de frontera, membrana que separa y comunica con el mundo atlántico. Ya no es la frontera entre los dos reinos ibéricos, sino también un espacio de la geopolítica internacional.

España tomó nota de la confluencia entre el río de plata y el río de oro. Una confluencia que no era física, porque el grueso de los embarques de metales preciosos salían hacia el Pacífico español desde Potosí y hacia el Atlántico por Río de Janeiro desde Ouro Preto. Pero era una confluencia estratégica, pues quien dominara el Río de la Plata podría amenazar los dos

grandes distritos mineros de América del Sur y quien comercia-
ra por el gran río podría desviar en su favor importantes cargamentos ilegales de ambos metales.

Y si la amenaza inglesa era todavía hipotética y podía con-
trabalancearse con las políticas europeas —especialmente por
la alianza dinástica con Francia, la gran potencia continental—
la presión portuguesa no se daba tregua y sumaba avance tras
avance. En el curso de los cincuenta años posteriores a la
fundación de Colonia, España adoptó dos políticas para el Plata, una defensiva, la otra ofensiva. Y aparecieron ambas, en ese
orden cronológico, a medida que España pasaba de una política
de reacción frente a la iniciativa portuguesa al diseño de una
política imperial nueva y propia que se perfeccionará durante el
reinado de Carlos III (1759-1788).

El primer acto de la política defensiva —al margen de la
tenaz resistencia jesuítico-guaraní con episodios como Mbororé—
fue la reacción del gobernador José de Garro contra la fundación de Colonia. La plaza fue restituida a los portugueses en
1683 pero nuevamente retomada por las tropas hispano-criollas
en 1706 y conservada hasta el nuevo acuerdo de devolución de
1716. Y tras esta devolución, el nuevo rey Borbón de España,
Felipe V, comprendió que la situación del Plata era peligrosa-
mente inestable. El rey, sus consejeros madrileños y la renova-
da máquina del Estado imperial español se dispusieron a diseñar una acción más ambiciosa.

Correspondió al gobernador de Buenos Aires Don Bruno
Mauricio de Zabala pasar a la ofensiva, intentando un poblamiento de la Bahía de Montevideo con familias españolas entre
1723 y 1726. Era, por primera vez desde los viejos tiempos de
las grandes exploraciones y conquistas, un movimiento español
hacia el este, un contraataque estratégico para volver a ocupar
las tierras propias según la vieja y casi olvidada partición mundial de Tordesillas.

La fundación de Montevideo trastrocó los equilibrios regionales, esta vez en beneficio de España, y anunció la nueva
voluntad de Madrid de entrar de lleno en el forcejeo por el
dominio del río de plata y oro.

La marcha portuguesa hacia el sur y los sueños conquistadores ingleses se completaban así con una nueva voluntad española, que empezaba a dejar atrás sus espasmos defensivos
para imaginar una política autónoma.

Sin embargo, no hay ninguna duda de que estos tres movimientos de las tres potencias coloniales eran consecuencia del
renovado esplendor sudamericano que descendía de las montañas de Ouro Preto. Portugal porque podía, Inglaterra porque
ambicionaba y España porque debía, estaban alistando sus políticas para una nueva definición. Una definición que formará

118

cambios trascendentales y definitivos en el mapa de América del Sur y dará nacimiento a las naciones atlánticas de nuestros días.

El río de oro estaba mudando nuestro destino.

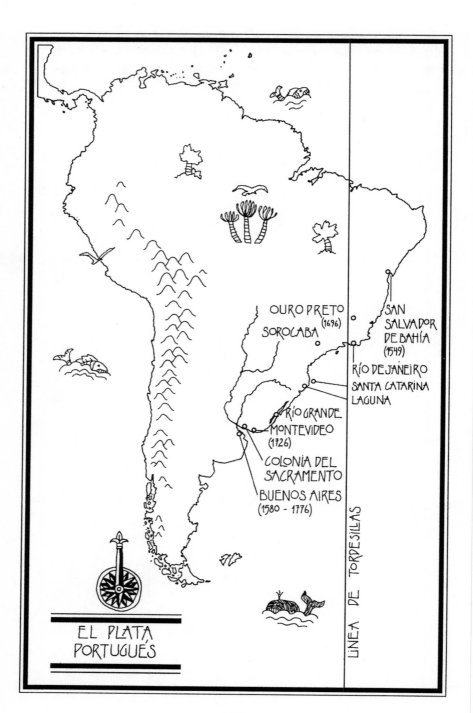

OURO PRETO (1696)

SOROCABA

SAN SALVADOR DE BAHÍA (1549)

RÍO DE JANEIRO

SANTA CATARINA

LAGUNA

RÍO GRANDE

MONTEVIDEO (1726)

COLONIA DEL SACRAMENTO

BUENOS AIRES (1580 - 1776)

LÍNEA DE TORDESILLAS

EL PLATA PORTUGUÉS

9. Un "espantoso"* marqués

Después de una carrera lenta y azarosa en la administración metropolitana —pero con embajadas en Londres y en Viena que lo pondrán al día con las luces de Europa y la gran política de su tiempo— Sebastiao José de Carvalho e Melo logra integrar el primer ministerio del nuevo rey, D. José I, el 3 de agosto de 1750, a sólo tres días de la muerte de D. Juan V. Este "secretario de Estado para los Negocios Extranjeros y la Guerra" del 3 de agosto, será pronto el gobernante absoluto de Portugal y su imperio, protegido por D. José I durante los casi 27 años de su reinado hasta febrero de 1777. Protegido, apoderado y ennoblecido, con la culminación aristocrática en el marquesado de Pombal, el título con que ha pasado a la historia.

"No le faltaban trazos bien definidos. Contextura de estadista y de administrador no se le puede negar. Divinizador del Estado, planeó una estructura gubernamental y administrativa destinada a promover el bien público, de un lado, y a controlar la libertad inherente a la persona humana, del otro. Su audacia tuvo una vasta estela. Férreo en sus métodos gubernamentales, cumplió sus planes con la imposición de su voluntad sobre la sociedad que dirigió. Considerándose estadista de genio creador, proyectó en líneas anchas y hondas, a veces abstractas; pero siempre imaginando la mejoría de las condiciones del reino por medio de sus leyes y providencias prácticas. Con todo, no siempre esas medidas correspondían a la realidad nacional. [...] No intentó corregir los defectos del pueblo por medio de una profunda, intensa y moderna obra educacional. Sólo pensó en eso al final de su gobierno. [...] Comportándose como un conservador por el pensamiento, fue un revolucionario por la acción. Procurando disciplinar una sociedad rebelde y decadente, corrompida por los vicios, erigió el absolutismo regio y 'esclarecido' como norma suprema del Estado. [...] Basculó el reino de punta a punta, dinamizó la vida del imperio colonial, proyectó en grande, realizó también voluminosamente. [...] Fue grande, grande de más para la sociedad ridícula de su tiempo. [...] Sin

---

* En portugués significa, indistintamente, espantoso y extraordinario.

121

embargo, y a despecho de sus muchos errores, gobernó con firmeza descarnada de cualquier sentimiento humano, imponiendo su voluntad a una nobleza cobarde y a una burguesía timorata. [...] Faltóle cordura, sobróle odio."

Ecce homo. Álvaro Teixeira Soares, diplomático y pensador brasileño contemporáneo, en su *O Marquês de Pombal* ha trazado de Sebastiao José de Carvalho e Melo ese retrato seductor por su equilibrio, su precisión y su belleza. Carvalho e Melo, nacido en 1699 en Soure, aldea cercana a Pombal y a Coimbra, en el seno de una familia de la pequeña hidalguía lusitana, es el hombre del siglo para Portugal, el formidable arquitecto del Brasil moderno, el inteligente adversario de Madrid y supremo impulsor de la iniciativa portuguesa en América del Sur.

El retrato de Teixeira nos habla de la persona, pero más aún del personaje. Y el personaje es un hombre de su tiempo, sin duda el dirigente portugués más imbuido de las grandes ideas y líneas de acción de la Europa del XVIII. Allí están la concepción del Estado como eje de la sociedad, la propensión al poder absoluto, el regalismo sin tregua, la centralización y la secularización del poder, el afianzamiento del sentido nacional, el protagonismo de lo económico y la nueva visión del imperio colonial, pasando de la confraternidad de reinos bajo una sola corona que inventaron los Habsburgo a la subordinación de las colonias a los intereses del reino metropolitano.

Pombal era un gran europeo de su tiempo, aunque Portugal, como sugiere Teixeira, no fuera del todo Europa. Esa asimetría es la que explica, a mi juicio, que los mayores éxitos de la larga vida pública del marqués se hayan dado en el campo de las relaciones internacionales. O sea, en los espacios de fricción entre Portugal y el mundo exterior. Y uno de esos espacios, acaso el más dinámico, era la América del Sur. Por eso Pombal será, desde nuestra mirada del presente, una gran figura americana.

Cuenta la leyenda que a la muerte de Juan V no se encontró en el tesoro real con qué pagar sus exequias. Leyenda, pero simbólica. Durante sus cuarenta y cuatro años de reinado había abrumado al mundo con su prodigalidad que enriquecía a embajadores, enviados, cardenales. Con su río de oro y diamantes compró al Papa el título de "majestad fidelísima" procurando aparearse con la majestad "católica" ganada por los reyes de España en Granada más de dos siglos atrás y la majestad "cristianísima" que lucían los monarcas franceses. Y en la estela de abundancia favoreció el juego y la holganza de la nobleza, una cultura de la riqueza sin esfuerzo y una considerable desvalorización de la educación, el conocimiento y el trabajo.

Fue magnífico hacia afuera y durísimo hacia adentro. "Exageró el fasto como atributo de la realeza; su prodigalidad dio prestigio internacional a la Corte de Lisboa, por cierto, pero la Corte era la *fachada* de un reino que, tierras adentro, estaba empobrecido e inmerso en la superstición"[31]. "D. Juan V supo sacar partido de esa riqueza para ostentar magnificencia, prodigalidad, lujo y grandeza regia; pero no para realizar grandes reformas administrativas, económicas y educacionales. Esa falla singularizó su reinado frívolo y brillante."[32]

El derrame áureo favoreció primero a la nobleza. Pero en aquel tiempo, aparte de la familia real propiamente dicha, los nobles titulados de Portugal se reducían a 9 marqueses y 35 condes, lo que determinó una fantástica concentración de la generosidad real. Debajo de ellos, una burguesía necesaria y activa había nacido como intermediaria comercial entre los recursos coloniales y los grandes mercados europeos, de los que Inglaterra tenía un muy destacado primer lugar. Pero estas actividades comerciales estaban desmerecidas y desprotegidas tanto por el disvalor social de lo mercantil como por la presencia de una nobleza que hacía de muro entre el trono y el reino.

Hacia adentro, el rey había heredado y asumido la misión de construir la unidad nacional y afirmar su autoridad, mientras hacia afuera y en el grande espacio colonial portugués que era todavía el de entonces, debía tener gestos abiertos y moverse en la dinámica internacional del siglo. Era una mezcla clamorosamente asimétrica entre cosmopolitismo imperial y provincianismo interno. De lo que resultaría una política esquizofrénica, posible de disimular y tener en marcha sólo gracias al derrame de la riqueza minera del Brasil.

Habíase llegado al punto de inflexión histórico en que el Brasil se convierte en el sustento inevitable de Portugal. Como dice Jorge de Macedo, "Portugal en el siglo XVIII constituye un todo económico inseparable del Brasil. [...] Es en la dualidad Portugal-Brasil que se asienta todo el sistema económico portugués de la época".[33]

En esa dependencia-dualidad se inscribe la gran crisis económica que empieza en 1739 y va a dar sus trazos cenicientos al final del reinado de Juan V. Es una crisis de los diamantes porque la producción excesiva y descontrolada provoca el hundimiento de los precios del oro por la penuria de mano de obra esclava y la desorganización de la administración brasileña; del azúcar por las catastróficas variaciones de precios que imponen los monopolistas de Lisboa y la insuficiencia técnica de la producción; y del algodón por la competencia de la producción moderna de las colonias inglesas de América del Norte.

Y en ese cuadro, en que las causas externas parecen ser siempre de menor importancia que los propios errores lusitanos, resulta sintomática la generalización del contrabando, que ya no se arrincona en las fronteras del Imperio sino que se instala en Lisboa. Macedo sostiene que los navíos portugueses que entraban en la capital del reino eran el 36 por ciento del total en 1748 y habían descendido a sólo el 11 por ciento en 1753. En esos finales opacos del gobierno dorado de Juan V, el Estado portugués era tan débil que no podía controlar las violaciones al monopolio comercial ni bajo las ventanas mismas del Palacio.

Esta desorganización y esta debilidad no podían ser evitadas por la flota, mercante y militar. Viviendo siempre bajo la presión inglesa —que impulsa la mayor parte del tráfico ilegal y se beneficia con el oro brasileño que Portugal destina al pago de las importaciones—, el reinado de Juan V no encontró nunca los medios para reconstruir una flota portuguesa que estuviera a la altura de las faenas imperiales. Inglaterra trabajó siempre para evitar un rearme y reequipamiento naval de Portugal y de España, en consonancia con su política de parasitar económicamente las posesiones coloniales de los otros. Y si España, más fuerte, más organizada y con un Estado enormemente más eficaz, avanzaba trabajosamente en esta reconstrucción, Portugal parecía resignado a un definitivo destino satelital.

Todas las fragilidades del Portugal de 1750 se agigantaban en la comparación con la Europa coetánea. Hacía mucho que había quedado atrás la morosidad económica del siglo precedente, la declinación de los Habsburgo había favorecido el fortalecimiento de Francia, Prusia y Holanda en el continente, mientras Inglaterra continuaba afirmando una supremacía marítima incontestable. La Guerra de Sucesión de España dio como fruto principal una Europa multipolar pero también el despertar de la vitalidad hispana bajo el gobierno modernizador de la Casa de Borbón. Siguiendo el modelo francés, la acción política hacía centro en la renovación y secularización del Estado. Y siguiendo el modelo inglés, la vida económica iba abandonando los principios rígidos del mercantilismo para preferir un comercio más flexible, más universal y mucho más privatizado. El rey ideal de 1750 era el que tenía bajo su mando un Estado moderno y militarmente temible, que encabezaba una sociedad movediza e ingeniosa y cobijaba una burguesía activa, fiel y rica.

El rey de Portugal estaba lejos de ese modelo. Y hasta parecía querer alejarse geográficamente un poco más. Ya cuando se produjo la invasión filipina de 1580, y luego, frente a la ofensiva española para reocupar Portugal en 1660, se había pensado en la posibilidad de trasladar la corte portuguesa al Brasil; eran opciones defensivas frente a la adversidad político-militar. Pero cuando en 1738 el consejero real Don Luis da Cunha propone en secreto al rey Juan V trasladar la corte lusitana a San Sebastián de Río de Janeiro, ningún peligro militar amenaza a la Corona.

Los argumentos de Da Cunha son económicos y se eligen tomando nota de la subordinación del reino europeo a la prosperidad brasileña. Pero este enfoque crudamente economicista habla por sí solo de la inconsistencia del pensamiento político cortesano. Porque el Brasil que se proponía como sede del imperio era más que nunca la "vaca lechera" de que hablaba el abuelo de Juan V, pero también un modelo de atraso administrativo, cultural y educacional. No había en él ni imprentas ni universidades, la circulación de las ideas estaba rigurosamente censurada, sus dirigentes, excepto el puñado que podía haber estudiado en Coimbra, eran muy poco competentes y ni siquiera el idioma portugués era de uso generalizado en el vasto reino. Esta propuesta de traslado suena más a un abandono de la carrera europea hacia la modernización que a una estrategia geopolítica innovadora.

Juan V, nutrido por el río de oro y diamantes, podía haber intentado la modernización del Portugal europeo y todo su imperio o aceptado la propuesta de Da Cunha de escapar hacia el adormecimiento americano. No hizo ninguna de las dos cosas. Por eso, a su muerte, Portugal estaba esperando —acaso con genuina esperanza— el gobierno del "espantoso" marqués de Pombal.

Carvalho e Melo fue un déspota ilustrado, ése es su rasgo político axial. El absolutismo portugués, que se había reforzado por la autonomía financiera de la Corona que, como vimos, prescindió de convocar a las Cortes, le dio el primer punto de apoyo para su gestión. Pero el monarca absoluto de Portugal implicaba un gobierno personal, pues era un monarca sin Estado. Don José transfirió esos poderes a manos del favorito-dictador. Como Pombal conocía las limitaciones del instrumento, puso su trepidante energía en construir un Estado portugués eficaz, regalista y absolutista.

Desde esa cumbre debían bajar a la sociedad los mensajes de modernización. Por eso empieza a buscar enseguida una "mentalidade nuova", cambiando funcionarios y procederes. Y a romper una por una las trabas que la vieja nobleza podía oponer a su acción y a la comunicación del trono con el aparato estatal. Esta gran reforma, de arriba hacia abajo, respondía al diagnóstico de Teixeira: "En la época pombalina la nobleza primaba por la imbecilidad y el pueblo por la superstición".

La construcción del Estado nuevo y de la mentalidad nueva debía levantar enormes resistencias en los factores de poder preexistentes: la nobleza, Inglaterra y la Compañía de Jesús

125

serán los más irritables. Dice el vizconde de Carnaxide: "Lo que lo determinó, fundamentalmente, fue el deseo de cortar a los ingleses la influencia que tenían sobre nuestro comercio, y a los jesuitas el dominio que ejercían sobre la conciencia pública".[34]

Con toda naturalidad, esas ideas políticas debían conducirle a imaginar una economía donde la autoridad regia estuviese fortalecida, pero que fuera capaz de regular y acrecentar el flujo de riqueza desde la sociedad hacia el Estado y desde las colonias hacia la metrópoli. Con esta ideología de "mercantilismo dirigido" sus reformas económicas serán incontables y muchas veces contradictorias, pero harán centro en la creación de grandes compañías monopolistas con protección oficial, por regiones o productos.

Durante su embajada en Londres, Pombal había observado y aprendido el funcionamiento de las compañías comerciales ultramarinas y no titubeó en trasladar el modelo a Portugal, que contaba con antecedentes desde los tiempos de D. Manuel I. Así, en 1755 creó la Companhia de Comércio do Maranhao e Grao Pará para la costa ecuatorial del Brasil, que tuvo el mérito de abrir el camino del algodón, y en 1759 creó la de Pernambuco e Paraiba, que fracasaría.

En el campo de las ideas geopolíticas sus dos grandes designios fueron la pulseada con Inglaterra y la consolidación rioplatense. Pombal comprendía mejor que nadie la necesidad del apoyo inglés en relación con la debilidad del Portugal europeo; eran los mandatos de la gran política que había aprendido en sus embajadas. Pero también había advertido que una diplomacia inteligente, fundada en la neutralidad europea practicada por D. Pedro II y D. Juan V y que se moviese entre las mutuas animosidades de Inglaterra, Francia y España —estas dos últimas unidas por los "Pactos de Familia" pero con intereses territoriales discordantes—, podía permitir a Lisboa aflojar los lazos ingleses evitando la condición de protectorado.

Pero no era sólo asunto de autonomía, sino también de enfrentamiento. Recordemos que fue Pombal mismo quien en 1740 alertaba a la Corte sobre las ambiciones rioplatenses de Londres, en principio orientadas a conquistar Buenos Aires en desmedro de España. Pero el futuro marqués ya había comprendido que Inglaterra estaba imaginando una política rioplatense propia y permanente, por encima de los derechos y reyertas de los dos reinos ibéricos. Muchas veces evocará Pombal este peligro en sus conversaciones secretas con los enviados españoles, oscilando entre la amistad inglesa y los intereses comunes luso-hispanos en la región que disputaban. Queda el misterio histórico de saber hasta qué punto esta clarividente flexibilidad pombalina contribuyó a impedir un temprano desembarco inglés en el Plata.

La cuestión rioplatense intraibérica era igualmente ardua. Como fruto del Tratado de Madrid de 1750, Portugal había ganado inmensos territorios y poblaciones en las fronteras de las gobernaciones españolas del Paraguay y de Buenos Aires, pero había perdido su soberanía sobre la Colonia del Sacramento. Así, la línea sur de la nueva frontera brasileña había quedado móvil, desarticulada, permeable, porque, desprovista del pivote austral y, lo que era peor, al ceder Colonia, había renunciado a tener una presencia y una política en el Río de la Plata propiamente dicho. Pombal estaba convencido de la necesidad de recuperarla...

Este carcaj de ideas pombalinas se pondrá a la obra en su gigantesca acción de gobierno.

La procura de la "mentalidade nuova" tuvo gestos concretos. Por edicto del 7 de junio de 1755 declaró al comercio "oficio noble". Y enseguida ennobleció a los directores de la Companhia de Maranhao y a los principales comerciantes de Lisboa. Y avanzó con las reformas sociales: por edicto de 1760 equiparó a los naturales, "canarins", de Goa, Diu y Damao con los naturales del Portugal metropolitano y en 1773 dispuso eliminar la distinción entre cristianos nuevos y viejos.

Párrafo aparte merece la política para los indígenas. Por leyes del 4 de abril y del 6 de junio de 1755 concedió la libertad a los indios, estableciendo también la equiparación para los matrimonios mixtos, lo que implicaba la promoción social de los mestizos. Esta decisión, que podía colocarse en el intento de apaciguar a los jesuitas a raíz de la ocupación de los Siete Pueblos de las misiones, tuvo sin embargo un gran efecto modernizador de los cimientos de la sociedad, especialmente en el Brasil.

En este mismo terreno debe inscribirse un hecho que suena extraño a los oídos hispanoamericanos, pero de enorme importancia en la América lusitana de entonces: el establecimiento de la lengua portuguesa como idioma obligatorio en los reinos americanos. Portugal tomaba esta providencia con más de doscientos años de atraso respecto de la equivalente obligatoriedad del castellano en la América española y procuraba así terminar con el predominio del tupí-guaraní que se hablaba en el Brasil platino y que los jesuitas utilizaban con empeño. Recién con Pombal se alcanza la unidad lingüística del Brasil, cuando sólo falta medio siglo para la independencia.

Las reformas económicas se inscriben en el concepto de un neomercantilismo inglés que Pombal adopta, procurando meterlo dentro de un modelo autoritario. Será una suerte de liberalismo económico pero como política de Estado obligatoria e irrecusable. Estamos frente a un modelo casi ejemplar de libertad impuesta desde el trono, de arriba para abajo, lo que supone su debilidad y su inconsistencia. Huelga decir que este enfoque, que también será propio de la España de Carlos III y de muchos revolucionarios de la Argentina independiente, parece haber dejado una involuntaria aunque fecunda sucesión en el pensamiento autoritario iberoamericano.

Por lo tanto, Pombal copiará la concepción económica inglesa combinándola con la dictadura absolutista portuguesa. Y el instrumento elegido serán esas grandes compañías aunque con una excesiva injerencia del Estado, versión centralizada de las "chartered companies" británicas. Pero esos instrumentos comerciales serán acompañados por una directa y permanente intervención de la Corona en ordenar y regular los mercados a fuerza de legislación.

Pombal empieza por fijar las fechas para las entradas y salidas de las flotas de ultramar, con prohibición de viajar en lastre, aunque terminará decretando la libertad total en 1756. Por ley de 1753, decidió intervenir en el mercado del azúcar para estabilizar los precios en defensa de los productores brasileños; dispuso que las flotas llevarían el precio de la plaza de Lisboa como cotización oficial. Por ley del mismo año, rebajó los fletes y mejoró las condiciones de comercialización del tabaco.

Un caso ejemplar es la regulación del mercado de diamantes, cuya producción estaba totalmente monopolizada por la Corona en el distrito diamantino del Brasil. Pero la producción brasileña era manipulada a su antojo por los industriales y especuladores de Londres y Amsterdam. Pombal imaginó entonces y dispuso el estoqueo de los diamantes directamente por la Corona, autoridad de regulación e intervención en los mercados que en 1760 llegaría a tener en custodia nada menos que 240.000 quilates.

Estas políticas de ordenamiento fueron acompañadas por políticas de promoción. Con el apoyo activo del virrey del Brasil, conde de los Arcos, se introdujeron nuevas variedades de tabaco de mayor rendimiento y calidad. Con la Companhia de Maranhao en el norte y el apoyo de las autoridades coloniales en el sur, se impulsó el cultivo del algodón, que será una gran producción brasileña de finales del siglo XVIII, sobre todo durante la guerra de la independencia de las colonias inglesas de América del Norte. Y mientras se promovía el desarrollo ganadero en Río Grande, se impulsaba la instalación de modernas curtiembres en Portugal, ratificando el nuevo modelo colonial que sólo dejaba a América el papel de proveedor de materias primas.

Para su política de intervención, para el crecimiento del comercio y para promover el intercambio, Pombal necesitaba una sólida flota, siempre resistida por el aliado inglés. Y así dio un gran impulso a la construcción naval tanto en Portugal como en el Brasil.

Podemos concluir con Jorge de Macedo que, en conjunto, las políticas pombalinas tendían a liberalizar, aligerar y fortalecer el tráfico intraimperial, pero cerrando las vías de escape hacia afuera gracias a la presencia nueva de las grandes compañías monopolistas. Es, paso a paso, la misma concepción de la economía imperial que estaba floreciendo en la España de Carlos III, destrabando las relaciones internas del imperio —y en este sentido se habla de "libertad de comercio"— pero fortaleciendo los muros que separan al espacio económico propio de las potencias extranjeras. La diferencia entre Pombal y Carlos III es que mientras el monarca español puede confiar la policía de fronteras a su eficiente máquina estatal, el dictador portugués debe acudir al invento de las compañías monopolistas, agentes privados de deberes públicos. Nada sorprendente: la insuperable debilidad del Estado portugués, la vieja solución lusitana de "privatizar" parte de las funciones imperiales y el ingenio realista de Pombal.

Las reformas en el campo propio del poder tuvieron dos grandes ejes: la reorganización militar y la expulsión de la Compañía de Jesús.

Sérgio Buarque califica la cuestión militar en estos términos: "De ahí la definición territorial básica [...] en función de la cual el elemento militar significa el efectivo ejercicio de la soberanía y, al mismo tiempo, la presencia activa del gobierno. [Lo que] en la visión especializada de hoy parecería exclusivamente militar, en la concepción del absolutismo ilustrado debe ser visto como verdadera osatura de la organización del Estado".[35]

Pombal no se iba a distraer respecto de esta concepción estratégica central —que también veremos florecer en la España de Carlos III— y emprendió un vasto conjunto de reformas militares. La mayor de ellas fue la adopción de nuevos criterios técnicos con la asistencia extranjera del conde de Lippe, encargado de elaborar un nuevo reglamento para las fuerzas lusitanas. El reglamento de Lippe, un sólido impulso a la tecnificación militar y un afianzamiento de la disciplina, se repartieron por todo el imperio. El 24 de diciembre de 1764 se embarcaron para el Brasil setenta oficiales de la nueva escuela, encargados de reorganizar las delicuescentes fuerzas americanas.

Pero la innovación más conflictiva de Pombal fue, sin duda, la expulsión de la Compañía de Jesús. Con esa decisión tomada por ley del 3 de septiembre de 1759 no sólo se extrañó a los jesuitas de Portugal y todo su imperio sino que se puso en marcha un movimiento que luego imitarían los reyes de Francia, España y Nápoles y terminaría con la disolución de la Compañía por decisión papal de 1773. Para colmo de sorpresa, era el más débil de los reinos cristianos el que tomaba la iniciativa y el que más se perjudicaría por el vacío que la expulsión generaba.

Todas esas desproporciones, más la circunstancia personal de que el futuro marqués hubiese recibido protección jesuítica en los momentos oscuros de su carrera, especialmente del padre Carbone, geógrafo de D. Juan V, da materia para la perplejidad histórica. Y volviendo y revolviendo los sucesos, los historiadores portugueses y brasileños han escrito montañas de hojas destinadas a contestar una pregunta axial: cuál o cuáles fueron las causas secretas o públicas que determinaron una acción tan fulminante de Pombal contra la Compañía, sabiendo, además, que la expulsión destrozaba el único aparato educativo de Portugal y su imperio.

A más de dos siglos de la ley, el debate historiográfico se ha convertido en un enredo clásico, y como siempre sucede en estos casos, su volumen conspira contra las conclusiones. Vamos a sortearlo. Para el análisis de la dirección mayor de la obra de Pombal y de su influencia en la América del Sur, basta con aceptar que para el déspota ilustrado que puso toda su energía en evitar la disgregación del mundo lusitano y en acumular el poder formal y el real en el centro de la autoridad regia de la que era mandatario, la enorme gravitación territorial, cultural, económica e ideológica de la Compañía de Jesús ya no resultaba tolerable. Y a la postre de un minucioso trabajo de desgaste ideológico, político y militar, Pombal expulsó a los jesuitas.

Con aquellas ideas y aquellas políticas, más un conjunto de abigarradas decisiones con destino específico a la América portuguesa, Pombal refundó el Brasil.

En 1699 San Salvador de Bahía era la segunda ciudad del mundo portugués, detrás de Lisboa. Pero San Sebastián de Río de Janeiro, que en 1710 tiene 12.000 habitantes, crecerá vigorosamente al influjo de la riqueza minera. Al acercarnos a 1763, las relaciones se modifican y mientras la vieja capital colonial alcanza las 46.000 almas, la inquieta Río supera las 50.000.

Estamos llegando a una época en que la América portuguesa tiene unos 3.000.000 de habitantes, tres veces más que el vecino y español Virreinato del Río de la Plata, de inminente creación. Pero esa abultada población brasileña está compuesta por una masa impresionante de esclavos. Han llegado 30.000 en el curso del siglo XVI, 500.000 a lo largo del XVII y se estima que arriban 3.000.000 entre 1700 y la abolición del tráfico en 1851. A mediados del siglo XVIII, donde nos ubicamos, la población esclava constituye más de un tercio del reino y se com-

plementa con otros tantos integrantes de un lumpen-proletaria-
do que en la jerga colonial se llama, ilustrativamente, "ínfima
plebe".

Este gran Brasil —suma de los dos "estados" administrati-
vos, Maranhao y Brasil— que supera la población del Portugal
europeo es, en verdad, una gigantesca máquina económica, dominada, dirigida y defendida por una delgada capa de población
blanca, criolla y europea. Éste es el éxito y la debilidad de la
América portuguesa, y Lisboa lo sabe.

No son los sufrientes e innumerables esclavos negros, o la
"ínfima plebe", quienes puedan asegurar la expansión y la defensa de las fronteras con el mundo español. Y por eso, ya en
los últimos años del reinado de D. Juan V se dispone enviar a
la región de Santa Catarina, en el frágil sur, a 4.000 inmigrantes portugueses provenientes de las Azores. Pombal continuará
esta política multiplicándola y fijará para esa frontera una acción colonizadora y demográfica basada en inmigrantes europeos, pequeñas propiedades agrícolas y fuerte apoyo del Estado
para su instalación. Para hacer frente a la España rioplatense,
Portugal debe elegir una política original, distinta de la que
tiene en el resto del Brasil, dando origen a una civilización
diferente, la riograndense.

Con parecido realismo, Pombal encara la reforma administrativa. Dividida la colonia americana en dos estados, el de
Maranhao, que sigue el eje del río Amazonas, y el de Brasil, que
sigue la línea de la costa atlántica, la organización de ambos
supone nuevas políticas y nuevas capitales. Es en los criterios
para determinar esas capitalidades donde se dibuja la nueva
estrategia colonial. Se les pide facilidad de comunicación con
Lisboa, prevalencia económica y presencia del mando militar.
Para Maranhao se elegirá Belem do Pará y para Brasil, Río de
Janeiro.

Sérgio Buarque hace dos observaciones atractivas sobre la
elección de Río como capital del nuevo "estado". Dice que "la
importancia del elemento económico dispensa de mayores co-
mentarios". Y también que la designación de Río no es un desplazamiento hacia el sur, sino "más al centro", porque se supone que el nuevo estado de Brasil tiene su límite austral en la
margen norte del Río de la Plata.

El medio hermano de Pombal, Francisco Xavier de Mendonça Furtado, será el enérgico y exitoso gobernador de Maranhao, que conocerá un crecimiento milagroso en los veinte años
siguientes, en parte gracias al algodón impulsado por las reformas pombalinas. Gomes Freire de Andrade, futuro conde de
Bobadela, será el gran reformador del Brasil, empeñándose en
una modernización urbana de Río de Janeiro equivalente a la
que poco después hará el gobernador y virrey Juan Joseph de

Vértiz y Salcedo en Buenos Aires. Están empezando las vidas paralelas de las dos grandes ciudades americanas.

Pero todas estas causas endógenas de la construcción brasileña no pueden interpretarse cabalmente sin la contrapartida de las causas exógenas. Las mayores provienen de las decisiones de Madrid y Buenos Aires que en este capítulo vamos a mirar como un condicionante para dedicarles después una atención específica.

Al asumir Pombal, gobernaba en España el rey Fernando VI (1745-1759), memorable por la orientación pacifista de su política. Y estaba casado con María Bárbara de Braganza, hija de D. Juan V, tan fea como inteligente y propensa a gravitar en las decisiones del trono español. Es en el marco de este reinado que fue posible negociar, firmar y aplicar el Tratado de Madrid de 1750.

Pero a la muerte de Fernando VI lo sucedió su medio hermano Carlos, entonces rey de Nápoles y que será el tercero de su nombre para el mundo español. Carlos III retomaría la iniciativa política en todos los campos y la conservaría a lo largo de su extraordinario reinado de 29 años. Muy otro será, por lo tanto, el tono de las relaciones hispano-portuguesas a partir de ese momento: el 12 de febrero de 1761 se firmaba en el palacio madrileño de El Prado un nuevo tratado que anulaba el de 1750.

Simultáneamente España y Francia avanzaban en la concreción del llamado Tercer Pacto de Familia, verdadera articulación de los intereses políticos y militares de ambos reinos que será de larga duración y profundas consecuencias. Cuando Pombal se negó a integrarse a este verdadero pacto continental, las condiciones para la guerra quedaron dadas.

En Buenos Aires, hacía seis años que el prestigioso general Pedro de Cevallos ejercía el gobierno. Y este hombre activísimo y singular tenía también la calidad de ser la virtual cabeza política de los intereses jesuíticos en el Plata. Así, en 1761, cuando la Compañía estaba ya expulsada de Portugal pero aun gozaba del favor real en España, una ofensiva contra el Brasil reunía todos los méritos imaginables para el gobernador rioplatense: servir a su rey, servir a la consolidación y expansión del territorio bajo su mando y servir a la animosidad de los jesuitas contra la monarquía lusitana y su ministro-dictador.

En mayo de 1762 las tropas españolas atacaron el Portugal europeo, infructuosamente. En octubre del mismo año, Cevallos puso sitio a la Colonia del Sacramento con un ejército de 6.000 hombres que debía reducir a una guarnición portuguesa de 1.000, pero bien entrenados y disponiendo de un imponente parque artillero de 90 cañones.[36] El comandante portugués rindió la plaza sin combatir y cuando en diciembre la noticia llegó a Río de Janeiro causó consternación. Tanta, que provocó la muerte del más prominente constructor del Brasil platino de la época, el conde de Bobadela.

La ofensiva militar del impetuoso Cevallos, que enseguida ocupó los fuertes de Santa Teresa y San Miguel, a las puertas de Río Grande, se disolvería en las negociaciones diplomáticas que se iniciaban en Europa y que llevarían al Tratado de París, en el que Francia, Inglaterra y España rediseñaron su reparto del mundo. Y si en aquellas negociaciones los problemas rioplatenses aparecían empequeñecidos por la dimensión del gran juego geopolítico, Pombal y los portugueses del Brasil no pudieron evitar un espasmo de sobresalto ante la presencia de la nueva iniciativa española en América del Sur.

Si hemos visto que desde la fundación de Colonia —en 1680— en adelante la iniciativa regional es portuguesa y las decisiones españolas suenan a respuestas defensivas —aun con hitos tan importantes como la fundación de Montevideo—, pareciera que es en este momento cuando la reacción española equipara, por primera vez, a la dinámica lusitana. La entrada de Cevallos, el sobresalto de Río de Janeiro y la percepción de que Carlos III ha iniciado una nueva época igualan las fuerzas de choque en el Plata. Es en este marco de virtual empate político que Lisboa dará los grandes pasos para afianzar el Brasil moderno.

El 27 de junio de 1763 D. José I designa al conde da Cunha virrey de la América portuguesa, con sede obligatoria en San Sebastián de Río de Janeiro. Es el primer virrey del Brasil con los títulos y funciones correspondientes, desde aquel lejano marqués de Montalvao que había nombrado Felipe IV (III de Portugal) para equiparar la presencia de los holandeses bajo el mando del conde de Nassau. Y da Cunha llega, además, dotado de poderes ilimitados.

Con esta decisión lusitana queda en evidencia el magnetismo histórico y político del Río de la Plata. Cierto es que la nueva sede virreinal se instala en el corazón económico del territorio bajo su mando. Pero no menos notorio es que la decisión se toma casi al día siguiente del ataque de Cevallos y que todo el gobierno del conde da Cunha estará enderezado a tareas prevalentemente militares.

Es la amenaza del sur lo que ha determinado a Portugal. Y hacia ese sur se mueve, desplazándose mil kilómetros desde San Salvador de Bahía, la sede política del Portugal americano. La respuesta española no se hará esperar. Sólo 13 años después, en 1776, Carlos III divide el reino del Perú e instala la sede del nuevo Virreinato del Río de la Plata en Buenos Aires,

tres mil kilómetros al sudeste de Lima. Como dos gigantes juga-
dores de ajedrez, los reyes de Portugal y de España desplazan
sus mejores piezas por el tablero sudamericano, condenándose
a un choque definitivo.

Pero lo que no sabían Pombal, José I, Carlos III y sus
ministros era que con estos movimientos convergentes, dictados
por la realidad americana y la audacia de sus genios políticos
respectivos, estaban creando un eje nuevo y autónomo para la
vida sudamericana. Ese eje, con sus respectivos extremos en
Río de Janeiro y Buenos Aires, será la nueva fachada atlántica
del subcontinente, pero también el origen de sus dos mayores
naciones, el Brasil y la Argentina, y el centro de los principales
acontecimientos políticos, militares, económicos y culturales de
la América del Sur independiente. Hasta hoy.

Pero en la época, es otra vez Pombal quien saca las primeras ventajas del empate, mientras Carlos III espera su momento. Y como ya tiene los primeros frutos de su reforma del Estado
portugués, puede destinar al nuevo virreinato funcionarios imperiales de primera categoría. Al conde da Cunha lo sucede en
1767 el conde de Azambuja, cuyo principal desvelo será la fortificación del litoral, siempre en espera de la contraofensiva española.

En 1769 el virreinato es encargado al marqués de Lavradío
y conde de Avintes. Con él se llega a la plenitud del gobierno
imperial, pues, como dice Sérgio Buarque, "la administración
del marqués de Lavradío colócase a una altura solamente comparable a Bobadela". Lavradío tenía un perfecto entendimiento
con Pombal y durante sus diez años de gobierno preparó al
reino contra la siempre esperada invasión española, adecentó la
administración, embelleció Río, impulsó las ciencias y promovió
todas las innovaciones económicas. Era "omnipresente y omni-
potente".

Es frente a este distinguido hombre público, suerte de
Francisco de Toledo brasileño —aquel "supremo organizador del
Perú"—, que debe plantarse la administración española. Y entonces está forzada a elegir a dos grandes, Cevallos y Vértiz. Y
ambos reyes ibéricos han de dar a sus virreyes del Atlántico
todos los poderes, todos los medios y un acompañamiento ex-
cepcional de científicos, pensadores, exploradores, administra-
dores y militares.

El Río de la Plata está empezando a vivir las virtudes y la
carga de su extraordinario destino cosmopolita y modernizador.
Y a la América del Sur le está cuajando una verdadera civilización del Atlántico.

Cuadernillo argentino

10. Nosotros, los fronterizos

Con la fundación de la "Nova Colonia do Sacramento" en 1680, Portugal internacionalizó el Río de la Plata. Los gobernadores de los dos polos del eje atlántico, Manuel Lobo, de Río de Janeiro, y José de Garro, de Buenos Aires, se encontraron enfrentados personal y directamente. La magnitud del gesto y de los protagonistas estaba anunciando un acontecimiento mayor.

Cuando Don Manuel Lobo entró en el estuario con sus cinco naves y sus batallones estaba inaugurando un siglo de conflictos militares y políticos en este lejano rincón del mundo. Y la Buenos Aires somnolienta de aquellos días, que apenas lograba sobrevivir desde la ruptura de la monarquía dual cuarenta años antes, se encontró en medio de un remolino que no cesaría hasta su encumbramiento a la jerarquía virreinal.

La internacionalización del Plata significaba que ya no habría ningún momento en las relaciones entre Madrid y Lisboa en que la cuestión platina no estuviera presente y que, por ese camino, entraría también en la mayoría de las negociaciones internacionales en que tuvieran parte las dos capitales ibéricas y sus aliados permanentes, Francia e Inglaterra.

Esta innovación abrupta y sustancial tuvo para Buenos Aires condignas consecuencias. Como parapeto español en la zona de conflicto recibió de Madrid una atención nueva que puede ser ilustrada recordando que en la Corte se llegó a sostener que la cuestión de Colonia del Sacramento era más importante que la de Gibraltar.[37] Pero la ciudad misma fue forzada a interesarse en los problemas internacionales con una atención desproporcionada a su magnitud. Para la Corona y seguramente también para los lugareños, Buenos Aires era más importante por su rol internacional que por su realidad cotidiana. Ninguna otra ciudad cabecera del Imperio tendría ese destino.

El interés de Buenos Aires por los asuntos internacionales no era retórico, porque tanto en lo militar como en lo económico la nueva situación marcaría su evolución y su personalidad.

La ciudad fue el núcleo de la reacción militar española cuando en 1680 se sitió y conquistó Colonia, y otra vez en 1683 al disponerse la restitución a Portugal. En 1706, en el marco de la Guerra de Sucesión de España, nuevamente se ordenó al gobernador de Buenos Aires que atacara Colonia, que fue reconquistada por las armas españolas. Esta ocupación concluyó en 1716, cuando Buenos Aires debió ejecutar una nueva restitución. En 1724, al enfrentarse la expansión portuguesa con la fundación de Montevideo, Buenos Aires fue de nuevo el ariete. Y en 1735-37 se ordenó otro sitio y ataque a Colonia que se efectuó con todo vigor y poca fortuna. En 1750 se debió aplicar el Tratado de Madrid, y el Río de la Plata español se vio envuelto en la llamada Guerra Guaranítica por la entrega de los Siete Pueblos, para ser luego asiento de los trabajos de demarcación de límites entre los dos imperios. En 1762, Buenos Aires se lanzó a la primera contraofensiva victoriosa de Cevallos y en 1776 la ciudad fue protagonista del gran choque entre los dos reinos, cuando la megaexpedición española Cevallos-Casa Tilly expulsó definitivamente a los portugueses del Plata hasta los días de la Independencia. Son nueve momentos críticos en menos de una centuria: en el siglo XVIII Buenos Aires enfrenta una situación militar aguda casi cada diez años. Sólo en la primera mitad del siglo XIX, con las Invasiones Inglesas, la guerra de la Independencia, la guerra contra el Brasil y las guerras civiles la ciudad viviría un período de tan intensa movilización militar como en ese siglo XVIII.

Esta visión de una Buenos Aires pendiente de los asuntos internacionales y siempre lista para la guerra es fundamental para entender su protagonismo posterior en la Independencia sudamericana y en la formación de la Argentina. Y desafía, con la impudicia de la realidad, la visión clásica de la historiografía argentina —que se inocula desde la escuela primaria— de una ciudad colonial adormecida y cachacienta.

Pero la internacionalización del Río de la Plata tenía otro protagonista velado aunque esencial: Inglaterra. El final de la Guerra de Sucesión plasmado en los Tratados de Utrecht legitimó y consolidó la presencia inglesa en el Atlántico y abrió a su comercio una parte considerable del espacio económico español. De 1713 hasta virtualmente 1750, Inglaterra gozó del monopolio de la trata de esclavos y con tales títulos instaló, en Buenos Aires, el asiento negrero del Río de la Plata.

Con ese asiento, los ingleses consiguieron una puerta por la cual deslizar un amplio tráfico de toda clase de mercancías y obtuvieron un puesto de observación permanente de los asuntos de la región. Esa presencia estimulará las ambiciones de Londres, hasta el punto de alarmar en 1740 al embajador portugués, Carvalho e Melo, según hemos relatado.

El enfrentamiento político y militar entre los dos reinos tendrá su contrafigura en el campo económico. La situación parece una réplica de la existente durante el tiempo de la monarquía dual, cuando la autoridad política y los funcionarios imperiales intentaban afirmar las diferencias y los agentes económicos construían la complementariedad. También ahora, mientras las diferencias alcanzan la dimensión de la lucha armada, la economía de las dos bandas del Río de la Plata será cada vez más complementaria. Esta asimetría es tan marcada que podría llevar a escribir dos historias distintas de la región, según se miren los hechos desde lo político o desde lo económico. Dos historias que parecerían incompatibles.

A pesar de los continuos choques militares y políticos y del cambio de prioridades en el Brasil desde el descubrimiento del oro en 1696, Colonia cumplió su misión de instalar en el Río de la Plata un espacio económico y de soberanía portuguesa. Su fundación fue concebida mezclando la tradición del imperio marítimo con el nuevo ímpetu territorialista de los portugueses del Brasil. Pero su funcionamiento fue casi siempre el de un "entreposto" comercial y militar en la mejor tradición del imperio andante.

Fue ocupada, fundada, abastecida y militarmente guarnecida por agua, con flotas y barcos que salían de Río de Janeiro y anclaban en Colonia después de haber transitado por el Atlántico Sur y casi toda la extensión del Río de la Plata. Y aunque las autoridades portuguesas se empeñaron pacientemente en conectar el Brasil austral con Colonia, este propósito nunca se cumplió. Es para concretar el "corredor terrestre" que D. Juan V dispone la creación de la Capitanía de San Pedro de Río Grande. Pero estos avances no pueden igualar las ventajas del tráfico por agua y deben enfrentar, en cambio, la cada vez más eficaz resistencia española. Colonia quedaría siendo "entreposto". Pero un "entreposto" expansivo, con sueños de arraigo, fecundado por los genes del Portugal americano y luego reforzado por la política de afincamiento del gobierno de Pombal.

Cuando hoy se visita la menuda ciudad que vive sobre las ruinas de la antigua Colonia portuguesa y se la compara inconscientemente con la gigantesca Buenos Aires de la otra banda, es difícil imaginar la paridad de significado entre ambas ciudades en el punto de esplendor del entreposto lusitano. Y cuesta mensurar los riesgos y compromisos del imperio español en ese lugar y en aquel tiempo.

En 1735, momento en que España realiza su fracasado intento de retomar Colonia para detener la expansión portuguesa, que rebasa abrumadoramente los límites del casco urbano, la instalación lusitana es triunfal. Boxer sostiene que la ocupación portuguesa se había extendido noventa millas hacia el norte, y que "la colonia comprendía más de 3.000 almas incluyendo la guarnición de 935 hombres". El campo estaba poblado de casas, chacras, estancias, jardines y plantíos con toda clase de especies americanas y europeas; las plantaciones de viñas eran de tal magnitud que algunas llegaban a tener 90.000 vides. Y la ganadería doméstica disponía de 87.000 cabezas de vacunos, 2.300 ovinos y 18.000 equinos, mulares y asnos. "En síntesis, la campiña alrededor de Sacramento presentaba un atractivo aspecto de prosperidad rural, que debe haber contrastado fuertemente con el atraso de la agricultura y la ganadería en Portugal mismo..."[38]

Según el censo oficial de 1738 —tomado por Emilio Ravignani y José Torre Revelo como digno de crédito— la ciudad de Buenos Aires tenía 4.891 habitantes y su campaña 1.237, lo que hace un total para la costa sur del Plata de 6.128 almas. Con todos los errores que puedan tener este censo para Buenos Aires y la estimación que da Boxer para Colonia, es de toda evidencia que la proporción 1:2 entre Colonia y Buenos Aires indica una paridad de fuerzas que es imposible imaginar hoy, cuando esa proporción es de 1:1.000.

Los datos sobre población, por dudosos que fueren, son coherentes con la presencia de las guarniciones militares, porque un estacionamiento permanente de casi 1.000 hombres en el fuerte portugués constituía una amenaza punzante para la ciudad española y su zona.

Esta paridad de fuerzas tiene un correlato aumentado en la actividad económica. Mientras Buenos Aires, en su momento de mayor movimiento portuario, el primer cuarto del siglo, exporta en promedio 75.000 cueros por año, Colonia, entre 1726 y 1734 alcanza un promedio de más de 400.000 piezas. Y esta vitalidad de Colonia, como puerto portugués y luego como placa giratoria del comercio inglés en el Plata, no decaerá nunca. Cuando Cevallos la ocupa, en 1762, apresa en el puerto 27 navíos mercantes cargados hasta el tope con mercancías inglesas.[39]

Los datos mencionados nos dicen algo todavía más importante. La relativa paridad de fuerzas demográficas y militares entre los dos puntos fuertes se desequilibra pesadamente cuando se miran las cifras comerciales. Colonia exporta cinco veces más cueros que Buenos Aires y la presencia en su rada de 27 navíos mercantes proveedores es incompatible con el tamaño del mercado consumidor del entreposto y su zona. Esta irrealidad es la respuesta que nos habla de la complementación entre las economías del enclave comercial portugués y el enorme espacio territorial del imperio español en el Plata. El Río de la Plata español vende y compra por la Colonia portuguesa, con o sin la autorización de Madrid.

Empecemos por decir que el Río de la Plata vende y compra *a* y *de* fuera del Imperio, en volúmenes crecientes, gozando del desarrollo del comercio internacional y de la presencia de las nuevas potencias del Atlántico y repitiendo el tradicional esquema de la lealtad política y militar a España con la transgresión y la apertura en lo económico.

Y esta voluntad económica cosmopolita de Buenos Aires y su región es tan pertinaz y arraigada que ya nada podrá detenerla. Hay una prueba concluyente: cuando en 1776 Cevallos arrasa definitivamente el grifo de Colonia, procede en el mismo momento a disponer la apertura comercial de Buenos Aires a los otros puertos del Imperio, y por el "auto de libre internación", al interior del nuevo virreinato. En 1778 Buenos Aires se beneficiará con el nuevo régimen de libertad comercial, primero por la real cédula del 2 de febrero de 1778 y luego por el "Reglamento y aranceles reales para el comercio libre de España e Indias", el gran cuerpo normativo del "comercio libre" que Carlos III promulgó el 12 de octubre de 1778. Mientras existió Colonia, Buenos Aires salió al mundo por Colonia; cuando fue destruida, Buenos Aires salió al mundo por sí, con la libertad comercial que era el contravalor del abolido contrabando portugués.

Desde esas concesiones españolas de 1776-78 podemos mirar para atrás y comprender la dinámica de las relaciones entre el Río de la Plata español y el portugués. Es valor ampliamente aceptado por la historiografía que Colonia exportaba productos españoles e importaba con destino al mercado español, todo de contrabando. Pero era más que un mecanismo unidireccional, porque también por allí pasaba ilegalmente oro brasileño con destino a Buenos Aires, del que se hacía un tráfico muy lucrativo. Colonia violaba tanto las restricciones españolas como las portuguesas y Buenos Aires tenía en ella tanto a una vecina políticamente temible como a una asociada indispensable para su prosperidad. "Rivalidad e interpenetración" los llama Magalhaes Godinho. En otras palabras, el cosmopolitismo económico bonaerense pasaba por el lubricado conducto portugués, que era una extensión económica natural del espacio español.

Se ha dicho y demostrado que los funcionarios coloniales de ambas márgenes —incluso los gobernadores— estaban complicados en este tráfico ilegal. Y con razonable sentido jurídico, se usa la palabra "contrabando" para definir este comercio rioplatense. Pero el término esconde un peligro interpretativo, porque sugiere un sentido de marginalidad y excepción que está siempre asociado con los delitos. Y aquí entramos en un problema de relativismo histórico de la mayor importancia.

Para las coronas de España y Portugal —y para el enfoque histórico eurocentrado— el comercio prohibido de ambas már-

141

genes del Plata era un delito. Pero para la realidad de Buenos Aires y de Colonia, de Río de Janeiro y de la gobernación rioplatense, la prohibición de ese comercio era una arbitrariedad inequitativa de la autoridad imperial. De más está decir que tampoco era marginal, porque no puede admitirse esa calificación para un 80 por ciento de la exportación de cueros de la región.

El "contrabando" rioplatense, del que participaban con igual entusiasmo españoles y portugueses, criollos de ambas bandas, gobernantes y gobernados, era la actividad normal, socialmente legitimada y materialmente insustituible de nuestros antepasados. Prefiero decir que era un comercio rebelde, perfectamente esperable en una región de antiguo insumisa en lo económico. A su vez, ese carácter rebelde del comercio regional reforzaba el sentido autonómico del espíritu platino.

Por su nuevo protagonismo en la política internacional, el Río de la Plata español limitaba con el mundo. Por las características de su actividad económica, limitaba con el comercio mundial. Por su responsabilidad en la defensa territorial, limitaba con el imperio portugués y el expansionismo de Inglaterra. Buenos Aires y su zona eran tierra de frontera en el más amplio sentido del término.

Estaba formándose rumbo a su madurez una verdadera civilización de frontera. En el puerto de Buenos Aires siempre ondeaba una bandera extranjera, sus comercios eran ricamente abastecidos por las importaciones, se hablaba con frecuencia portugués y cada vez más inglés, los comerciantes y financistas transaban continuamente operaciones con el exterior, los barcos traían toda clase de novedades y el aire del mundo. Interesada por las negociaciones y los cambios políticos en las metrópolis y con sus puertas abiertas a los viajeros y mercaderes, la ciudad recibía de lleno el viento de las ideas del siglo, con o sin venia oficial. Por sus calles circulaban los mejores generales del ejército y la armada imperiales y en sus guarniciones y en las fortalezas de la Ensenada y de Montevideo se recibían, se mantenían y se estudiaban los armamentos más modernos de que disponía España. Era una ciudad que debía ser despierta, diligente y práctica; un modelo infrecuente en el inmenso Imperio.

Esta civilización de frontera tenía también un modelo social propio que podemos ver con más nitidez del lado brasileño, donde tiene colores contrastantes. Cuando D. Juan V primero y Pombal a continuación deciden poblar la zona de Río Grande, ponen el acento, como hemos visto, en una colonización con pequeñas propiedades tenidas por colonos europeos. En las cercanías del Río de la Plata no es aconsejable la gran propie-

142

dad y menos aún la plantación pletórica de esclavos que es la base del poblamiento territorial en el resto de la América portuguesa. Lisboa ha comprendido que en la frontera abierta del sur no es posible un modelo social autoritario, sino que debe procurarse una organización participativa, con pobladores relativamente libres y que sean capaces de encarnar en sí mismos la soberanía portuguesa.

Colonos libres portugueses, comerciantes libres porteños, hacendados libres rioplatenses: una sociedad abierta y donde la mano de obra esclava no tiene significado económico. Y éste es un mandato regional que se impone por igual a las posesiones españolas que a las portuguesas. Porque aunque nuestro propósito es descubrir cómo estos episodios han determinado la formación de la Argentina, es obvio que tuvieron correspondiente influencia en la del Brasil. La historia del siglo XIX va a confirmar esta hipótesis, no sólo porque la región de Río Grande hesitará durante diez años turbulentos entre permanecer en el imperio brasileño o volcarse a la independencia de la cuenca rioplatense, sino porque luego los políticos brasileños del sur serán siempre núcleo de los gobiernos liberales bajo el reinado del emperador D. Pedro II.

En realidad, Portugal y España sienten que tienen en la región del Río de la Plata un vientre frágil, expuesto tanto a la acción del otro como a la de terceros expansivos como Inglaterra o de pretensiones imperiales espasmódicas como Francia. Ese vientre es una región interactiva, donde España y Portugal van subiendo la apuesta pero con los instrumentos equivalentes a los del oponente. Por eso es que, en definitiva, el modelo económico, político, militar y social de los territorios lindantes de ambos imperios resultará prácticamente idéntico. Todos integran esta civilización de frontera que la decantación histórica ha ido formando en un tiempo muy largo, que se proyectará con inmensa fuerza en cada paso del siglo XIX y permanecerá hasta nuestros días dentro de la piel de cada una de las naciones independientes, el Brasil, el Uruguay, la Argentina.

El mandato genético de Portugal fue, como hemos dicho, diferenciarse y defenderse de España. Y todavía en la primera mitad del siglo XX se enseñaba en las escuelas portuguesas que España era el principal enemigo. Esta raíz está presentísima en la formación del Río de la Plata y es una de las explicaciones de la animosidad política y militar entre ambos imperios en medio de la complementación económica. Los pueblos libres de ambos orígenes conservarán este impulso de diferenciación hasta casi nuestros días, como lo muestran las secularmente imprecisas relaciones entre la Argentina y el Brasil.

Audacia, pericia, combate y comercio eran los corceles del imperio portugués desde sus inicios. Estos cuatro rasgos reaparecen con nitidez en cada escalón de la civilización del Atlántico que puede rastrearse en las etapas de la vida de Colonia del Sacramento. La presencia portuguesa en el Plata responde siempre a ese modelo, que se repetirá hasta los combates finales del siglo XIX. Cierto es que a medida que avancen los tiempos, los portugueses de América le agregarán su rasgo propio de una revalorización de lo territorial, aunque sin perder aquellos impulsos fundantes.

La penuria monetaria del imperio portugués que se manifiesta desde mediados del siglo XVI se volverá, con el andar, un mandato crónico para su política expansiva. La violación de la línea de Tordesillas en América del Sur tiene su origen en esa minusvalía. Al principio, Portugal llegó a imaginar que los yacimientos argentíferos de Potosí podían entrar en su mitad del mundo; y luego se resignó a aprovecharlos por medios comerciales pero que también supusieron una presión continua hacia el oeste. Pero cuando se produce el descubrimiento del oro en 1696, Lisboa es perfectamente consciente de que los nuevos yacimientos están en la línea de Tordesillas y pueden jurídicamente ser reclamados por España. Frente a esta inversión de la situación, Portugal va a adoptar la doctrina de fundar en el "uti possidetis" sus derechos territoriales, lo que será aceptado por España en el Tratado de 1750. Buscando la plata primero y protegiendo el oro después, Portugal empujó la línea de Tordesillas rumbo al poniente.

La solución de D. Juan III de privatizar la colonización de la América portuguesa, falto de medios y de Estado para realizarla por sí, es otra política metropolitana de profundas consecuencias en el Nuevo Mundo. El mensaje es que la Corona se desentiende de la ocupación de la tierra y transfiere sus facultades a los particulares, reservándose sólo el control y el usufructo de lo que sucede de costas afuera. Es sobre esta visión de la sociedad y del poder que se articulará la pujante iniciativa de los paulistas en el siglo XVII. Todos los historiadores brasileños coinciden en destacar el papel de los bandeirantes en la ocupación territorial del Brasil platino rumbo al oeste y al sur. Pero me gustaría rescatar de esta unanimidad una conclusión que está implícita: estos aventureros no sólo ocupan el territorio, sino que fundan por sí mismos la concepción territorialista de la política brasileña. Son los paulistas y los bandeirantes quienes le dan importancia a lo territorial desentendiéndose de la civilización portuaria y encontrando en la explotación económica del interior una razón de ser que la tradición lusitana despreciaba. Después, el descubrimiento del oro dará nuevo significado a esta perspectiva, pero el origen es anterior, es obra de los americanos y nace en los tiempos de la monarquía dual, como un retoño lejano e inesperado de la concepción política de Madrid.

Estas cuatro grandes herencias portuguesas, modeladas por la tierra americana y entrelazadas con los genes del contendiente español, darán el contenido diferencial de esta civilización del Atlántico, que ahora puede aparecer con su osatura bien delineada.

El factor dinámico principal es la *interacción*. Una interacción de tres actores de diferente masa gravitatoria: el mundo español y el mundo portugués, cuyas masas sólo varían según la iniciativa política de cada uno, y el polifacético mundo del Atlántico, cuyo propulsor principal es Inglaterra pero donde intervienen todas las fuerzas de Europa. La interacción constante y mensurable es la de los dos mundos ibéricos y ambos se van adecuando a las iniciativas del otro, paso a paso. Los pueblos rioplatenses nacerán con este sentido de competencia y una curiosidad siempre alerta por lo que pasa del otro lado.

De esa interacción de los tres actores nacerá el hábito definitivo de *pensar en términos internacionales* y de vivir con los ojos fijos sobre los sucesos extracontinentales. No en vano durante el siglo XIX y gran parte del XX Buenos Aires y Montevideo han podido jactarse de disponer de la mejor información internacional del mundo de habla hispana, tanto en el campo académico como en lo científico, en las artes, en los negocios y en el pensamiento. Y ello, muchas veces, en desmedro de la información sobre la trastienda sudamericana, con excepción, claro está, de los sucesos brasileños.

La concepción central de la política económica portuguesa y la fragilidad del monopolio español en el Plata dieron a la *iniciativa privada* un lugar relevante en la construcción material de la región. El enriquecimiento continuo de la sociedad gracias a esa iniciativa que trasponía los límites legales y buscaba sin descanso nuevos nichos de instalación, dio un prestigio a sus protagonistas que es notorio en la Buenos Aires virreinal. Mientras en la Argentina andina el hacendado terrateniente, sucesor del encomendero, es el centro del prestigio social, en el Río de la Plata ese lugar será ocupado por los comerciantes, españoles, criollos, portugueses o "gringos". Y todo el lenguaje económico de las autoridades políticas estará referido a los problemas del "comercio".

Sin embargo, este prestigio de lo privado en el campo económico no impedirá un equivalente reconocimiento del papel del Estado en la vida colonial. Es que la impronta española del *Estado fuerte* y moderno que viene desde los primeros días nun-

145

ca será desplazada por los impulsos privatistas en lo económico. La Buenos Aires que va a recibir al virrey Cevallos en 1776 es tanto un activo centro de faenas económicas privadas como el asiento de una fuerte autoridad política y militar española. Las dos realidades conviven y es probable que hayan concurrido a formar una concepción asimétrica del poder que acaso perviva hasta nuestros días: lo político estructurado, regalista y centralizador y lo económico parcelado, libre y movedizo.

Esto tiene un eco previsible en el campo de las ideas sociales. En el mundo hispano, las desigualdades tenían el límite infranqueable de la supervivencia. Ya desde los inicios el Estado español se empeñó en proteger a los más débiles de la sociedad y es en este marco que tienen entidad los debates sobre el trato dado a los indígenas y las sublevaciones del siglo XVIII contra los corregidores abusadores. En la Argentina andina, incluida plenamente en ese sistema de valores, existía un principio de solidaridad social y pública con los indigentes. También en el mundo portugués se encuentran organizaciones pías, como las hermandades de caridad, de entre las que sobresalían las Santas Casas de Misericordia, pero en la realidad americana estos impulsos quedaban ahogados en la ola gigantesca de la esclavitud de indígenas y de africanos. La economía portuguesa no protegía al desvalido y era valor aceptado que el esclavo podía dar su vida atado a la noria de los ingenios azucareros. La *desigualdad social* nutría el sistema portugués sin esperanza de redención terrenal —ya nos lo ha dicho el propio padre Vieira— y ésta era la base que culminaba en el éxito material de los empresarios privados. Pareciera que esta concepción ancló en el mundo rioplatense, aunque atenuada, como una admisión explícita de la desigualdad económica. Simultáneamente, el sistema político español seguía garantizando una igualdad de derechos primitiva pero eficaz, como que los virreyes y gobernadores estaban obligados a escuchar las quejas de todo el mundo, cualquiera fuese su lugar en la escala de las jerarquías sociales.

La elevada movilidad económica y social —en términos relativos a la época, claro—, los efectos disruptivos del contacto con el mundo y las peculiaridades de la influencia portuguesa dieron un tono especial a las costumbres rioplatenses. Aquella sociedad brasileña que tan poco crédito daba a la palabra de la Iglesia inoculará en el colindante espacio español su poquísimo "temor de Dios". Ni los viajeros ni los comerciantes portugueses, ni los pobladores de Colonia ni los españoles que tomaban contacto con el Brasil tenían una visión reverencial del clero, a diferencia de lo que sucedía en la mayor parte de la América española. Buenos Aires y Montevideo, teniendo tan cerca el modelo brasileño, aprenderán a prestar poca obediencia a la *policía de las costumbres* que obispos y párrocos pretendían

146

ejercer siguiendo el viejo modelo español de la "Iglesia de Imperio". Y esta concepción iconoclasta y liberal tal vez haya entrado profundamente en la herencia cultural del actual Uruguay y la zona de influencia de la ciudad de Buenos Aires.

Los puntos geográficos de apoyo de esta civilización del Atlántico son, como se va viendo, *las ciudades-puerto*: Río de Janeiro y Buenos Aires en los extremos del gran eje y Montevideo como escala intermedia. Estamos frente a un modelo altamente urbanizado, y por eso compatible con los otros rasgos de una sociedad bullente, moderna y emprendedora. No parece un modelo nuevo si atendemos a la tradicional política indiana de Madrid orientada a concentrar a los pobladores en villas y crear grandes capitales virreinales. Pero las ciudades-puerto del mundo atlántico tienen una característica única: en ellas coincide el poder político, militar y social con el poder económico. No sucede lo mismo en Lima, Bogotá o Santiago y menos aún en el par Potosí-Charcas (hoy Sucre), que es un contramodelo ejemplar: en una ciudad toda la economía y en la otra la Audiencia, el Arzobispo y la Universidad, mediando sólo sesenta kilómetros entre ambas. Las ciudades-puerto del Atlántico empiezan siendo centros económicos y luego reciben todas las instituciones políticas, religiosas, culturales y sociales. Además, en el entorno de las ciudades atlánticas se extiende una campiña casi despoblada, como todavía lo muestran el modelo urbano-rural de la provincia argentina de Buenos Aires y el de toda la República Oriental del Uruguay. De su lado, las dos coronas ibéricas responderán con su respaldo a esta orientación espontánea. Por eso el conde de Bobadela en Río de Janeiro y el virrey Vértiz en Buenos Aires serán fervorosos urbanizadores y embellecedores de ambas capitales. Las dos ciudades honrarán su destino: Río como capital de un imperio que será la gran potencia sudamericana del siglo XIX y Buenos Aires como la fogonera de una revolución continental.

Es ésta, en definitiva, una civilización cosmopolita, urbana, moderna, abierta a las ideas, pendiente del éxito material, individualista, amante de los cambios y rebelde frente a los modelos autoritarios y a las políticas de aislamiento. Una hija involuntaria y atípica para el mundo español por demasiado abierta y para el mundo portugués por su sentido territorial.

De esa realidad tomarán nota las cabezas distinguidas de Carlos III y sus ministros, y en una afortunada conjunción de los impulsos americanos con los nuevos aires de la Ilustración europea y el reformismo borbónico pondrán en marcha la gran respuesta del imperio español: la concepción, la creación y el original modelamiento del Virreinato del Río de la Plata.

147

11. De contraluz

Entre 1738 y 1778, Buenos Aires y su campaña pasaron de 6.128 pobladores a 37.150. La ciudad misma creció de 4.891 a 24.235. Y con este impulso dejó atrás el avance de todas las otras regiones del reino del Perú y se transformó en la mayor ciudad española abajo de Potosí. Era, también, la única ciudad del imperio en las costas del Atlántico Sur.

Los números dicen tres cosas: que fue un crecimiento inusitado, que ese crecimiento se hacía absorbiendo las gentes, los recursos y las ideas de ese tiempo y que el núcleo urbano resultante era ya de tal volumen y afianzamiento como para constituir un polo civilizatorio específico y con rasgos propios. La Buenos Aires del virreinato, la que justifica el acto fundacional y la que merece a los ojos de Carlos III ser la cabeza y tutora de un reino, se ha formado en estos cuarenta años. En este lapso que ocupa las décadas centrales del siglo XVIII adquiere autonomía uno de los grandes genes de la nación argentina. Es en esta formación de Buenos Aires antes —y lo subrayo, antes— de su poder virreinal, donde reside uno de los secretos de nuestra identidad.

Y se forma con las fuerzas que vienen del Atlántico. Porque aunque en todo el imperio se asiste a un despertar de la vitalidad económica y política, la explosión de Buenos Aires es anormal. Las otras ciudades de la futura Argentina, empezando por la señera Córdoba, mejorarán de condición, pero sin experimentar cambios cualitativos. No es de los Andes ni del "mare clausum" que viene el nuevo impulso. Y ese impulso será visto desde las zonas antiguas del imperio y desde la virreinal Lima como de contraluz. Crece un perfil nuevo hacia el oriente, pero es difícil distinguir lo que se encuentra adentro del contorno. Es arduo descifrar las ideas y reclamos del nuevo mundo del Atlántico con el pensamiento y la cotidianidad de las grandes ciudades andinas del "magnífico aislamiento".

Hay más. El movimiento del centro del mundo desde la Europa continental al Atlántico debía tener una dinámica equivalente en el Nuevo Mundo. Sucede en América del Norte con la prosperidad de las colonias inglesas. Y sucede aquí, a escala, con el encumbramiento del Río de la Plata a espaldas del Perú indiano. La era atlántica del mundo se traduce en una era atlántica para las tierras sudamericanas.

Y éste es el punto de nacimiento de la otra Argentina, la que viene a adosarse a la civilización tucumanesa al sudeste de la vieja línea demarcatoria que pivota en Córdoba. Ya no se trata de poblar, gobernar o administrar el Río de la Plata como una frontera peruana. Se trata de que la iniciativa histórica se instala en esa frontera y da nacimiento a la segunda civilización de la futura Argentina: lo atlántico argentino, lo rioplatense y, por antonomasia, Buenos Aires. En otras palabras, la mitad diferente que hará necesaria una Argentina desgajada del Perú y le dará sus rasgos propios, inesperados.

Si esta Buenos Aires que entra en la gran historia crece a los empujones, lo hace nutriéndose de lo inmediatamente disponible, en materiales y en ideas. Pero el motor de la transformación es un cambio en la naturaleza de la actividad económica. Podríamos decir con verdad que el impulso proviene de la demanda atlántica de metales potosinos, de la recuperación de la actividad de las minas altoperuanas, de la producción de oro que se filtra del Brasil, de la relativa bonanza de la economía tucumanesa y de la nueva y vigorosa calidad de la exportación de cueros rioplatenses. Todos éstos son hechos reales y que los historiadores económicos del Río de la Plata y de la Argentina colonial han explicado documentadamente. Pero esa enumeración no es el todo. Al todo le falta algo que esos elementos tienen en común.

Antes de llegar a esa argamasa del todo, subrayaría con doble énfasis el papel de los cueros. Horacio Giberti fue el primero en hacerlo hablando, justamente, de la "edad del cuero". Pero me parece revelador para nuestra mirada de finales del siglo XX señalar que el cuero del siglo XVIII es un material crítico de una importancia ya desaparecida. En sociedades en que la metalurgia sólo produce materiales rígidos, cuando todavía no se ha inventado el uso masivo del caucho ni existe tan siquiera la sospecha de los materiales plásticos del presente, el cuero está en todas las actividades y en cantidades enormes. Se trata del material natural flexible por definición, entre la rigidez de la madera y la fragilidad de los textiles. Y los rioplatenses son, como dice Ferrand de Almeida, "couros de Buenos Aires, considerados os melhores das Indias".

Pero no es la ciudad de Buenos Aires la que produce o procesa esos cueros, sino todo el Litoral, como no quedan en la ciudad los miles de esclavos negros que desembarcan por el asiento inglés, ni es Buenos Aires la que produce la plata ni acuña los pesos fuertes, ni está en Buenos Aires la actividad industrial y agrícola del Tucumán. Todos estos productos y materiales pasan por la ciudad según las necesidades, las modas o las técnicas de cada momento.

Lo que une a todos esos elementos es algo más: Buenos Aires ha elegido el *comercio*. Confirmando y continuando la vocación que venía de los tiempos de la monarquía dual, la ciudad perfecciona su destino comercial, intermediario y financiero. Y tanto comerciará una cosa como la otra, desarrollando una especialidad económica que se afirma en el cómo, desentendiéndose del qué. Ésta es la argamasa revolucionaria. Y tiene capacidad fundadora porque está en el marco de la inmensa revolución comercial que sucede en el mundo, pasando por el Atlántico y a la zaga de la nueva ideología económica de las potencias marítimas, especialmente Inglaterra y accesoriamente Portugal.

Ninguna otra ciudad del imperio español de la segunda mitad del siglo XVIII tendrá la especialidad comercial en el alto grado de Buenos Aires. Y en esta orientación de su actividad económica la ciudad se perfeccionará, formará a sus jóvenes dirigentes, creará una técnica, una cultura y una mentalidad. A los argentinos nos cuesta ver, aun ahora, que nuestra primera ciudad tiene un quehacer y una cultura que no se han formado en la producción, sino en el comercio. Y con él vienen la intermediación y la destreza en lo bancario, en lo financiero, en la administración del dinero. Si aceptamos las categorías de Fernand Braudel, estamos diciendo que Buenos Aires es, desde este segundo comienzo de su vida —el primero fue el del tiempo de la monarquía dual, desde su fundación hasta 1640—, el centro capitalista por excelencia.

En sus tres conferencias en la Universidad Johns Hopkins, en 1976 —resumiendo y glosando su monumental *Civilización material, economía y capitalismo*— Braudel perfila la diferencia entre mercader y negociante y reserva el sustantivo capitalismo para la actividad de la cumbre de la escala económica, los negociantes: "No es por azar que en todos los países del mundo un grupo de grandes negociantes se separa netamente de la masa de mercaderes y ese grupo es por un lado muy restringido y por otra está ligado —entre otras actividades— al comercio a distancia". Éste es el rasgo que va a ir definiendo a los comerciantes de Buenos Aires, por diferencia con los mercaderes de la Argentina tucumanesa, estrechamente conectados con las actividades productivas locales.

Y ese rasgo de los grandes negociantes porteños se completa con la segunda caracterización de Braudel: los negociantes capitalistas, ubicados en la cumbre de la economía de mercado, no tienen especialización. "... es mercader, por supuesto, pero nunca en una sola rama, y es tanto y según la ocasión, armador, asegurador, prestamista, prestatario, financiero, banquero e incluso empresario industrial o explotante agrícola". Ésta es la diversidad de intereses que pronto tendrán los capitalistas de Buenos Aires y que los hará moverse, en los futuros años de la república independiente, con la versatilidad profesional del Braulio Costa retratado por Galmarini.[40]

Cuando llegamos al tercer rasgo propuesto por Braudel, se ilumina la diferencia vertebral entre estos protagonistas de Buenos Aires y la clase económica dirigente del Tucumán. Se trata de su desinterés por el sistema productivo, tendiendo, en todo caso, a una única especialización, "el comercio de dinero".

Los tres rasgos se dieron alternada u ocasionalmente en los grandes negociantes porteños. Pero también es posible encontrar alguno que los reunió todos y habría hecho las delicias de Braudel. Me refiero al andaluz Tomás Antonio Romero, que entre 1780 y los días de la Independencia fue protagonista de las mayores operaciones comerciales y financieras de la ciudad y del virreinato. Debemos a Hugo Galmarini una completa semblanza de este hombre, arquetipo del negociante capitalista de alto vuelo que era capaz de alterar las finanzas coloniales, irritar o encantar a los virreyes y conseguir siempre el apoyo directo e incondicional de la Corona, apelando, cuando era necesario, a la intercesión personal del rey.[41]

En 1777 y con sólo 27 años, ya andaba Romero haciendo comercio de hierro en Potosí y dos años después realiza un fuerte préstamo en dinero a un corregidor altoperuano por $ 47.532, que equivalía al alto sueldo anual de un virrey. Fue el comienzo de una carrera explosiva. "Abarcó en ella las más variadas gestiones comerciales, desde el desempeño de cargos vinculados a servicios oficiales como los contratos para el traslado de azogues y caudales al Alto Perú y el suministro de carnes saladas a la Real Armada, pasando por el rutinario tráfico de exportación e importación e intentos inéditos de organizar empresas pesqueras para llegar, finalmente, a lo que constituye la etapa más riesgosa y original de su carrera: el comercio directo de negros desde las costas africanas. En todos estos casos mostró un gran espíritu de iniciativa, pues como lo destacaron sus favorecedores se lo consideraba (según juicio del virrey Arredondo) 'un comerciante de crecidos y seguros méritos a quien no acobardaban riesgos ni dificultades'". Carnes, cueros, azogue, contrabandos diversos, préstamos de todo tipo, pesca de la ballena en el Atlántico austral, armado de buques propios para viajar a las costas africanas e introducir esclavos por su cuenta. Treinta años de audacia, decisión, influencias y enormes utilidades sin atarse nunca a ningún negocio, a ninguna especialidad. Y Galmarini remata: "... Romero está muy lejos de definir al comerciante clásico de la colonia —estereotipado en una práctica que evita riesgos y persigue altos márgenes de ganancia— y se ajusta a un modelo más dinámico donde el espíritu especulativo sustituye como fuerza motriz de su quehacer al tráfico a comisión..."

Nada detuvo al andaluz-porteño y asumió como negocios propios los objetivos de la nueva política económica imperial, en especial cuando emprende la aventura de armar buques balleneros para operar en la Patagonia disputando contra ingleses, franceses y portugueses. Con el favor real continuamente reconquistado y confirmado amplió sus operaciones menos riesgosas y se agigantó en el tráfico de esclavos. Según las cuentas de Galmarini, entre 1793 y 1806 Romero introdujo 7.733 esclavos, lo que supone un giro comercial —por este solo rubro— ¡de casi dos millones de pesos!

Movía influencias, inventaba negocios, prestaba dinero y se fabricaba enemigos entre sus propios colegas menos audaces, porque, según el virrey Arredondo, era "hombre rico, feliz y envidiado". Y en su remolino gigantesco abarcaba un espacio económico desde Potosí hasta las costas de África y un espacio político con epicentro en la mismísima Madrid.

Romero no es un emergente, es un modelo. Acaso fue el mejor, el más exitoso o el más audaz, pero formó parte de una sólida clase comerciante de Buenos Aires que dirigió la economía de la ciudad y ocupó la cúspide de la escala social, el lugar que en el mundo indiano estaba reservado a los beneméritos, los encomenderos y los nobles titulados. Los comerciantes de Buenos Aires ocuparon todos esos lugares sin tener ninguno de los títulos. Fueron, sí, una clase emergente, un poder emergente en una ciudad emergente.

Según sostiene Susan Socolow en su enjundioso *The Merchants of Buenos Aires. 1778-1810* [42], los comerciantes mayoristas de la ciudad crecieron de 30 en 1750 a 145 en 1778, año del censo. Y en ese censo, los hombres ligados a las actividades comerciales de todo tipo y en todos los niveles de empleo representaban el 24 por ciento de la población total, a lo que debe agregarse un 5 por ciento de aprendices y cajeros. En el mismo censo, los trabajadores ligados al artesanado importaban el 28 por ciento del total. Quiere esto decir que hace más de doscientos años, y cuando la ciudad apenas entraba en su jerarquía virreinal, Buenos Aires ya era una economía de actividades terciarias, de servicios, un gran centro comercial y financiero aunque lo midamos sólo por la estructura ocupacional.

Esta clase comerciante creció en sus operaciones, creció en sus inversiones y creció en su tren de vida al paso que florecía la ciudad. Hacia el fin del siglo, por lo menos 28 comerciantes tenían navíos propios de gran porte o inversiones significativas en ellos. Además de Romero, otros dos grandes comerciantes esclavistas eran armadores transatlánticos, Manuel de Aguirre y Pedro Dubal, y entre los no esclavistas se destacaron las inversiones navales de Pablo Ruiz de Gaona y Manuel Joaquín de Zapiola.

Y así como se comprometían cuantiosas inversiones en el equipamiento para el comercio tradicional, los negociantes también incursionaban en cualquier operación que les pudiese ofrecer buenos márgenes, aunque pareciera extraña. Segretti recuerda que en 1799 Buenos Aires era el centro intermediario del tráfico de cacao del Ecuador para España, desviando hacia este lejano sur los cargamentos de Guayaquil y Lima que luego entraban al neutral Brasil para reexpedirse a Lisboa entre los estruendos de la guerra.[43]

Y el esplendor comercial sustentó el pasaje a la otra especialidad, aun más lejos de la producción de bienes y que define, en la perspectiva de Braudel, la etapa específica del capitalismo: lo financiero. Dice Socolow que "Algunos mercaderes, luego de acumular grandes recursos de capital gracias al comercio y después de establecer fuertes lazos con España, se dedicaron ellos mismos, casi exclusivamente, a las actividades bancarias, incluyendo préstamos a los colegas mercaderes de Buenos Aires y del interior".[44] Entre ellos estaban Bernardo Sancho Larrea y Manuel Rodríguez de la Vega. A continuación, aunque los nuevos banqueros de Buenos Aires no alcanzaron el nivel de financiar las grandes operaciones mineras de Potosí, lograron un lugar como intermediarios para la llegada de capital europeo a ese destino.

Riquísimos, influyentes, cosmopolitas y ocupando el tope de la sociedad, los comerciantes y sus familias definieron también los valores, el estilo y la moda de Buenos Aires. Formaban una sociedad meritocrática que se desentendía de viejos pergaminos y tuvieron en la cúspide de esos méritos la carrera militar, la carrera imperial y el éxito económico. No puede extrañar, entonces, que fueran proclives a ostentar la riqueza. Socolow nos dice que los hombres poseían en promedio 1.424 pesos en alhajas personales y sus mujeres 2.152. O sea que cualquiera de esos alhajeros guardaba por sí solo más valor que todo lo que logró Remedios de Escalada de San Martín en la colecta de joyas para financiar la campaña de los Andes gracias a la deshidratada generosidad de las "patricias mendocinas".

Todo esto define a Buenos Aires como el espacio capitalista por excelencia, por arriba de la economía de mercado, con un perfil casi desconocido en el mundo indiano.

Porque este negociante de Buenos Aires que hace negocios a distancia, sin especialización, sin atenerse al sistema productivo y sobre todo con clientes de muy diferentes pertenencias políticas y culturales —ingleses, portugueses, italianos, franceses— no es una réplica local del comerciante limeño. Aquél se movía dentro del marco del monopolio español, como engranaje rico y favorito de una máquina que sólo débilmente se conectaba con el mundo. El nuestro es un personaje de nuevo cuño, expuesto a lo internacional, habilitado para protagonizar localmente los cambios de la era inglesa y la inminente revolución industrial. ¿No será esta la explicación oculta de la facilidad con que la futura Argentina independiente va a entrar en la gran corriente capitalista del siglo XIX?

De esto se trata: estamos perfilando la historia de una de las estructuras fundadoras de la Argentina, que es también la estructura capitalista moderna con todos sus atributos materiales y conceptuales.

Y acaso sea interesante observar que esta temprana división del trabajo en la sociedad argentina nunca ha sido cabalmente reconocida por la historiografía. El papel de centro capitalista de Buenos Aires ha provocado más juicios de valor adversos que análisis eficaces, cargando a la dirigencia de la ciudad con culpas de especulación, intermediación financiera superflua y ganancias fáciles, bajo el supuesto de que la producción es noble y el comercio, parasitario.

Este eje de Buenos Aires como ciudad comerciante es una de las claves de interpretación de la Argentina. El compromiso protagónico de la ciudad con las guerras de la Independencia, los contenidos ideológicos que procuró darles y los límites mismos de ese compromiso —cuando San Martín ya no obtuvo los auxilios financieros requeridos para terminar la campaña del Perú— pueden mirarse desde esta atalaya. Lo mismo sucede cuando la burguesía porteña se interesa en los negocios de las provincias sólo desde la perspectiva de sus comisiones y diferencias especulativas. Y también con esta clave se entiende mejor el desinterés de la dirigencia porteña por los negocios provincianos y los problemas políticos del interior en la época brillante de finales del siglo XIX. Obviamente, en esta estela se incluye la interminable resistencia de Buenos Aires a ceder el control político del puerto. Quiero decir: no se trataba de egoísmo, falta de patriotismo o desprecio porteño por el interior, sino de una prioridad natural al interés comercial, algo casi incomprensible en la vieja tradición indiana.

Claro está que esa incomprensión era aun más fuerte a mediados del siglo XVIII. La Buenos Aires que estamos analizando era comercial y guerrera, dos rasgos poco habituales en el vasto mundo indiano. Y para ser tal, la ciudad debería obtener los recursos y las ideas fuera del viejo tronco común. Sólo años después, cuando la España de Carlos III acceda al pensamiento de la Ilustración, Madrid podrá procurar a la movediza ciudad atlántica un pensamiento político y económico acorde con sus impulsos. Y es debido reconocer que lo hizo con gesto majestuoso: la nombró capital de un nuevo reino.

En el mismo proceso de corporizar este destino, Buenos Aires absorbió los hombres, las técnicas y las ideas que le resultaban funcionales. Y con esos nutrientes afianzó su diferencia.

Provenían, esencial y estructuralmente, de esa civilización de frontera cuya gestación a lo largo de un siglo y medio hemos descripto en los capítulos precedentes. Cuando llega el momento de su salto histórico desde la aldea colonial a la ciudad-puerto-factoría oceánica, Buenos Aires tiene una matriz propia, carne de sí misma. Y en ella se inscribirá el crecimiento humano, material y conceptual de estos cuarenta años decisivos. La ciudad no importa un modelo extraño para florecer en su rol histórico, sino que nutre con elementos adecuados los cimientos que ya estaban construidos.

Elegido el destino comercial, los grandes proveedores de técnicas y oportunidades serán los comerciantes de la época. Es un tiempo en que España todavía está buscando su redespliegue económico y tiene poco para ofrecer. Y el mundo comercial está ocupado por las técnicas y las oportunidades inglesas que en la región sudamericana tienen el complemento portugués. La gran burguesía del puerto que se va a formar y a enriquecer en estos años lo hará completando su tradición fronteriza con los destellos que llegan de Londres y de Río de Janeiro.

Esta especialidad económica no se reduce a la explicación de la vida material. Se trata del quehacer, se trata del trabajo. La ciudad elige un modo de hacer y de ser, y desecha los otros posibles. Y en esa decisión entra todo: la presencia del río y del puerto, la tolerancia en el control de los viajeros y los migrantes, la preferencia por la información internacional, la enseñanza del comercio y sus técnicas a los más jóvenes, el seguimiento de las modas exteriores en las ideas y en las artes y la convicción de que el trabajo más noble, más rendidor y más accesible es el comercio y los servicios que lo nutren.

Sólo desde esta perspectiva se entiende la crónica penuria del abastecimiento agrícola, en una tierra que cien años después demostrará su excelencia imbatible como productora de alimentos. En toda esta época de expansión económica y demográfica el Cabildo y el gobernador vivirán con la queja de la penuria alimentaria, debiendo resolver emergencias y procurando incitar a los pobladores a cultivar la tierra. Y a pesar del fortísimo aumento de la población de esclavos y de mulatos, estos

155

sectores de mano de obra siguen concentrados en la ciudad, en el servicio de los amos o en oficios artesanales urbanos. La agricultura, tan esencial a la vida tucumanesa y que volvía a la moda con el pensamiento fisiocrático en Francia y en España misma, no era quehacer de Buenos Aires.

Esos rasgos son funcionales a su nuevo destino y se potenciarán con la marcha, dando por resultado una sociedad drásticamente distinta del resto del mundo indiano. Será una ciudad con una permanente población de extranjeros en proporciones no usuales, oscilando entre el 15 y el 20 por ciento del total, con fuerte predominio de los portugueses y presencia significativa de italianos, franceses e ingleses.

Y la prevalencia del éxito material como medida social dará una clase dirigente desprovista de las obsesiones jerárquicas propias del mundo indiano. Dice Félix de Azara: "... pero reina entre estos mismos españoles la más perfecta igualdad, sin distinción de nobles y plebeyos. (...) La única distinción que existe es puramente personal, y es debida sólo al ejercicio de los cargos públicos, a la mayor o menor fortuna o a la representación de talento y honradez". Estamos ante una sociedad secularizada, donde el mérito es condición de la alcurnia.

Abierta a recibir a los comerciantes del nuevo mundo atlántico, Buenos Aires debe confirmar su tolerancia confesional e ideológica. Las decenas de comerciantes no católicos que viven en la ciudad a fines del siglo XVIII suponen una versatilidad en la policía de las costumbres impensable en la ortodoxia española. De igual modo, es imposible que en tales condiciones se pudiera aplicar con severidad el control de las ideas y publicaciones que aún se hacía con éxito en las ciudades provincianas.

¿Puede sorprender que la sociedad tucumanesa mirara con creciente desconfianza a esta ciudad mundana, capitalista y transgresora? ¿Podemos imaginar lo que siente la vieja dirigencia indiana frente a la opulencia porteña? Diferencia y poder son los rasgos de Buenos Aires mirada desde la mitad andina. En lo económico, ese poder ha de haber parecido abrumador. Cuando en 1766 el gobernador Cevallos hace un relevamiento de las fortunas personales en la ciudad, Don Manuel de Escalada encabeza la lista con un patrimonio de 500.000 pesos, diez veces más que las mejores fortunas de Córdoba o de Cuyo.

A estas rupturas del viejo modelo indiano se agregará pronto la legitimidad del poder militar. Ya hemos descripto con qué reiteración y frecuencia Buenos Aires se ve implicada en las guerras hispano-portuguesas que tienen al Río de la Plata como escenario imperativo. Sólo en la región del Caribe y el golfo de México el mundo indiano conocerá situaciones parecidas, con el despiece de las Antillas, los ataques ingleses a la Habana —supuesta inexpugnable— y las continuas rectificaciones militares y diplomáticas de las fronteras en América del Norte. Pero los reinos del Pacífico, la médula del mundo indiano, quedarán lejos de estas urgencias.

La militarización del Río de la Plata y sus territorios es un proceso continuo y creciente. La crónica amenaza portuguesa se va complementando con la competencia militar y naval inglesa, que aumenta en vigor y audacia a medida que transita el siglo. Mientras Buenos Aires ocupa y desocupa Colonia y afronta las Guerras Guaraníticas, la amenaza inglesa crece con la vista puesta en la Patagonia y el cruce estratégico de Magallanes hacia el "mare clausum". Ese avance culminará en el primer desembarco inglés en las Malvinas en 1764. El rey asignará entonces al gobernador de Buenos Aires nada menos que el comando del Atlántico Sur, otorgando a la ciudad una jurisdicción naval gigantesca; ello sucede en el marco de las reformas militares que modernizan todo el imperio.

Casi enseguida se produce la expulsión de la Compañía de Jesús de tierras españolas (1767), lo que abre otra peligrosa brecha en la defensa fronteriza con las provincias portuguesas. Todo el espacio ocupado por las reducciones sobre ambas márgenes del río Uruguay y que se extiende hasta tierra paraguaya se convierte en un hueco estratégico, cuya vigilancia debe encomendarse, prevalentemente, al gobernador de Buenos Aires. Con enemigos en el Atlántico Sur, enemigos en la vecina Colonia del Sacramento y enemigos en la frontera mesopotámica, la sociedad española de Buenos Aires no tiene tiempo ni permiso para el desarme.

Al contrario. No sólo el despierto Carlos III enviará refuerzos de todo tipo a la lejana marca austral, sino que emprenderá un programa defensivo apoyado en los recursos humanos propios de las provincias americanas. Impedido de financiar ejércitos permanentes suficientes para vigilar la enorme extensión de su soberanía, el rey opta por trasladar a sus vasallos indianos una parte de la responsabilidad combatiente. Así empieza la creación de las milicias, formadas por los mismos pobladores.

Esta decisión mete las cuestiones militares en la vida cotidiana de todos. Y ello será muy sensible en ciudades de primera línea del frente, como la nuestra. La formación de las milicias se hace en proporción al tamaño de las ciudades, y como Buenos Aires ya tiene una masa poblacional importante, su aporte concreto a la defensa pasa a ser significativo. En su caso, además, las posibilidades de acción bélica son para sus pobladores mucho más concretas que en cualquiera de las somnolientas ciudades tucumanesas. Así, no sólo la ciudad será asiento de fuerzas militares profesionales de número y calidad excepcionales, sino que el vecino común será movilizado y verá militarizada su vida toda. Ni los más prominentes comerciantes y banqueros escaparán a esta obligación, lo que con el andar del tiempo será motivo de continuas quejas, aunque al principio hombres de la talla de Vicente de Azcuénaga, Juan Lezica y Domingo Basavilbaso serán orgullosos oficiales de la milicia porteña.

Ciudad de la frontera y del frente, ciudad asiento del comando militar y acantonamiento de las principales fuerzas militares de todo el sur del imperio, Buenos Aires define así su otro rasgo característico, ya antes de que la creación oficial del virreinato le otorgue un destino militar incontestable. La Buenos Aires de los gobernadores Cevallos (1756-66) y Vértiz (1770-78) —no en vano dos grandes jefes militares que luego asumirán sucesivamente la jerarquía virreinal— es una ciudad guerrera.

Por comerciante y por guerrera Buenos Aires alcanza el fortísimo crecimiento poblacional de estos cuarenta años fundadores. Es un lapso en el cual las más exitosas ciudades tucumanesas apenas logran duplicar su población gracias al crecimiento vegetativo. La ciudad del Atlántico la quintuplica. Ya hemos visto las causas, preguntémonos ahora por los efectos.

Porque si en la más afortunada combinación de tasas de natalidad y mortalidad la ciudad pudo aumentar su vecindario en 5.000 almas, las otras 15.000 provienen de afuera. Durante estos cuarenta años, Buenos Aires recibió un flujo constante y vigoroso de arribantes, atraídos por el progreso material y los empleos militares en continua expansión.

No poseemos información demográfica elaborada sobre esos flujos de población. Y la que hay merece poca confianza porque debe tenerse presente que el movimiento humano es entonces objeto de regulaciones que la realidad viola. Sabemos que hubo un aumento de la población esclava. Tenemos evidencia de una corriente continua de inmigrantes extranjeros, casi todos ilegales. Y nos consta que muchísimas personas y familias provenientes de la España europea y de las otras provincias americanas eligieron trasladarse a Buenos Aires. Venían atraídos por este iridiscente polo capitalista y seguirán viniendo luego cuando sea capital virreinal. El motivo económico de estas migraciones y el carácter de los protagonistas quedan bien retratados en Tomás Antonio Romero.

Párrafo aparte merece el flujo de extranjeros, el más transgresor de todos, que siempre provoca reacciones de la autoridad imperial y consentimiento de los funcionarios locales amparados en el viejo principio suspensivo de "se acata pero no se cumple".

De esto tenemos una prueba ilustrativa ya al comienzo del lapso considerado. Por Real Cédula del 25 de abril de 1736 se disponía la expulsión de todos los extranjeros. El gobernador de Buenos Aires suspendió la aplicación de la medida y comunicó tal decisión al Consejo de Indias en diciembre de 1740, argumentando que numerosos portugueses desertores de Colonia se habían radicado en la ciudad y eran útiles a su progreso. Dos años después, el Consejo convalidaba la rebeldía porteña.[45]

La cantidad de pobladores nuevos llegados a la ciudad en estos cuarenta años es impresionante para la época y contrario a las tradiciones y normas españolas. Y no es menor innovación que una proporción significativa haya sido de extranjeros, manteniendo en permanente renovación esa proporción de 15-20 por ciento —entre la población blanca, por cierto—.

Socolow nos introduce en el mundillo de la clase comerciante y nos muestra el altísimo grado de movilidad social, no ya como un valor simplemente consentido, sino como el verdadero motor de esa sociedad. Se hacían y se perdían las fortunas en una sola generación. Y se había creado un mecanismo de aprendizaje, adopción de un aprendiz o sucesor, promoción y enriquecimiento de éste que está en las biografías de todos los hombres exitosos. Muchachos españoles inmigrantes eran pronto aceptados, entrenados, enriquecidos y casados con las niñas porteñas. Y esta permeabilidad al recién llegado se extendía a los no españoles. Dos grandes y memorables prohombres de esta burguesía porteña fueron el francés Juan Bautista Lasala y el italiano Domingo Belgrano Pérez.

¿Qué le pasaba a una ciudad con semejante inserción de nuevos vecinos? ¿Qué pasaba en el sistema jerárquico si esos vecinos eran artesanos y comerciantes que pronto ocupaban un lugar distinguido dentro del vecindario? ¿Cómo impactaba en la mentalidad de la ciudad y en el sistema de valores sociales esta permanente fecundación inmigratoria?

No me parece muy osado deducir que, por lo menos, la ciudad llegaba a su virreinato con una mentalidad aluvional. Y, probablemente, había adquirido dos hábitos opuestos a las tradiciones indianas: vivir en un clima de alta movilidad social y cultural y aceptar la inmigración como fuente de progreso y cambio. Es previsible que de estos dos hábitos Buenos Aires haga virtud a medida que los años confirmen su eficacia transformadora.

Y es justicia imaginar que ambos enfoques sean aportados por ella a la formación de la futura Argentina. Cuando en 1853 los convencionales estampen el artículo 25 en la Constitución nacional estarán convirtiendo en derecho positivo un invento rioplatense viejo de un siglo: "El Gobierno federal fomentará la inmigración europea; y no podrá restringir, limitar ni gravar con impuesto alguno la entrada en el territorio argentino de los extranjeros..."

Estas mismas características de la ciudad grande —fronteriza, comerciante, guerrera y aluvional— definen a la reciente Montevideo. La pequeña ciudad de la otra banda alcanza pronto un ritmo de crecimiento comparable con la mayor y justifica la creación de un gobierno político y militar subordinado a Buenos Aires, pero propio. Fundada apenas cincuenta años antes, su crecimiento es una prueba casi pura del impulso que viene del Atlántico, pues no tiene a sus espaldas más que la frontera enemiga. Y bien, Montevideo tendrá a fines de siglo unos 6.000 habitantes, casi tantos como la histórica Córdoba.

En realidad, el triángulo Buenos Aires-Colonia-Montevideo define el espacio humano y civilizatorio de esta región de frontera y da origen a una comunidad humana y cultural de características propias y similares, sin embargo de las distintas lealtades políticas y preferencias idiomáticas. Luego, cuando Colonia desaparezca para dejar todo el espacio en manos de españoles, el frente atlántico quedará representado por las otras dos, que transmitirán su personalidad a los respectivos espacios nacionales, en proporción casi pura para el Uruguay y con la mezcla de la otra mitad, la tucumanesa, para la Argentina.

Lo señalable de todo esto es que el pueblo de la frontera, que hubiera podido continuar siendo un integrante menor de la Hispanidad americana, adquirió el destino de detentar la iniciativa histórica durante un tiempo que empieza en aquel siglo XVIII y que no parece haber terminado todavía, más de doscientos años después. La especialización comercial por lo económico y el destino guerrero por lo político dan a esta civilización española del Atlántico un poder y una legitimidad que le estaban negados por su desvalorizada condición fronteriza. Ésta es la clave de fundación, el impulso que da a una formación tan atípica la jerarquía de una estructura que entrará con títulos propios y una fuerza arrolladora en la formación de la futura Argentina. Y a ella aportará también su modo, lo social aluvional.

Para la civilización andina, para la estructura tucumanesa, este recién llegado es un extraño y lo ve de contraluz. Lo acepta pero no lo entiende, lo recibe pero no lo integra. Después tendrá que reconocer nada menos que su primacía, no sin antes enarbolar resistencias de todo tipo que estallarán en la destrucción y la sangre de las guerras civiles.

160

12. La ciudad imperial

"Buenos Aires es una gran ciudad. Una capital imperial de un imperio que aún no ha nacido", le dijo André Malraux a Odille Baron Supervielle en una de sus últimas entrevistas, en 1974. La sombra eterna de Carlos III ha de haber sonreído. La intuición intelectual de Malraux esboza de un solo trazo una de las claves de la Argentina, la que venimos explorando a lo largo de este libro. Es la clave que imaginó el rey español en 1776, la que ha presidido la formación de la nación y todavía nos cuesta ver en toda su luminosidad.

En 1776 la ciudad es elegida capital de un imperio. Contrariando los consejos de la eficiente burocracia española y con el parecer militar de Don Pedro de Cevallos por único testigo, el rey decide en seis días de cavilaciones íntimas —entre el 20 y el 26 de julio de 1776— crear un virreinato de frente al Océano Atlántico y otorgar a Buenos Aires el rango supremo.

Lo imprevisible de la decisión de Carlos III no es el nuevo reino, sino la nueva capital. Hacía ya tiempo que la burocracia imperial estudiaba la conveniencia de dividir el reino del Perú hacia el sur, tal como se había hecho hacia el norte con la creación del Virreinato de Nueva Granada en 1740. Este proyecto fue resaltado por la creciente presión inglesa, que indicaba la necesidad de una autoridad más autónoma para defender la extensa marca austral del Imperio.

Pero lo que estaba en la mente de los técnicos imperiales era que el nuevo reino también tendría frente sobre el Pacífico, el mar español, siguiendo una concepción estratégica vieja de dos siglos y que se correspondía con el espíritu de Tordesillas. El entonces virrey del Perú, Manuel de Amat y Junyet, hombre de larga trayectoria y escuchado consejo, era el más alto oficial del Imperio entre los que propiciaban que la nueva capital fuese Santiago de Chile; una candidatura inobjetable.

Frente a toda esta cultura política, la decisión final del rey parece lo que es: revolucionaria. Cierto es que Cevallos, por entonces el principal consejero militar del monarca y casi forzoso comandante de las tropas españolas en caso de guerra, le presentó una propuesta de ataque a las posesiones portuguesas donde Buenos Aires adquiría un rol estratégico axial. Pero no deben confundirse los hechos, pues Carlos III tomó dos decisiones diferentes: reconocerle a Buenos Aires una función militar preeminente en el ataque a Colonia del Sacramento y al territorio brasileño y darle después una jerarquía virreinal contra todas las tradiciones.

A partir de esta inversión de las líneas históricas, no es difícil imaginar que el rey y su gobierno darían al nuevo virreinato una atención privilegiada. El reino del Río de la Plata era una invención casi personal del monarca y quedaría como su mayor reforma geoestratégica en todo el imperio español, algo que en la memoria de los argentinos y de los porteños está reemplazado por un agujero.

Nuevo, privilegiado en el favor real y relativamente virgen de superestructura cultural y política, el Virreinato del Río de la Plata recibió una profundísima marca de esa España ilustrada del período más alto del reinado carolino (1759-88). Es esta etapa tan poco estudiada de nuestro pasado la que le da a la ciudad ya formada, ya exitosa, una doctrina política y cultural funcional a sus esencias.

Porque es cierto que la dirigencia de la España ilustrada insufló sus concepciones políticas, económicas y culturales —virtudes liberales y defectos colonialistas— por todas las comarcas de su soberanía, como es muy visible en las reformas limeñas de Amat y en los impulsos innovadores en Nueva España. Pero cuando uno revisa la historia del Perú de la Independencia o del México de la larga agonía del siglo XIX, se advierte que aquellas reformas progresistas de la Ilustración fueron las primeras víctimas de las luchas civiles. Lo diferente del Río de la Plata parecería ser que la sociedad estaba preparada para recibir, aceptar y adoptar ese pensamiento ilustrado.

Estoy, pues, convencido de que la preferencia regia por el Río de la Plata tuvo una contraprestación en el entusiasmo con que la ciudad y su zona de influencia adoptaron las ideas liberales. Por eso es que si alguna vez he dicho que "la Argentina es el proyecto imperial de la España ilustrada", ahora querría corregirme, para afirmar que la Argentina es el "fruto" de ese proyecto, nacido de la fecundación entre la iniciativa metropolitana y nuestro anhelo liberal autogenerado.

La decisión regia es la primera capitalización de Buenos Aires. Tenemos la costumbre de usar estos términos para hablar de la declaración de Capital Federal de 1880 con la ligereza de olvidar que en la formación de la Argentina las decisiones de capitalización han constituido una definición ideológica y estratégica, un verdadero modelo de sociedad. El primero que ve a Buenos Aires capital es el rey de 1776, pero lo decisivo es que la ve como portadora de un proyecto político que reproducirán casi como un calco los protagonistas de 1880: un país atlántico, abierto a los cambios, de alma liberal y férreamente integra-

do al pulso del mundo. Hay un nexo director entre la capitalización de 1776 y la de 1880, casi como si el proyecto de reino de
Carlos III fuese el padre directo del proyecto "de la generación
del '80", algo que no repugna al pensamiento de Alberdi y Sarmiento y recibirá ratificación explícita de Vicente Fidel López.

Si por la referencia a 1880 pego un salto de un siglo es con
la sola intención de enfocar mejor la mirada sobre los hechos de
1776, confirmando la continuidad del proceso histórico. Y queda
de nuevo subrayado cómo aquel país embrionario del siglo XVIII
entra con fuerza de estampida en el nacimiento de la Argentina
moderna por encima de los muy prestigiosos episodios de la
Independencia.

Ese virreinato es un imperio. Lo he llamado "un reino imposible" en *La Argentina renegada*, anticipando allí la contradicción que ahora se puede comprender cabalmente: se trataba de
un reino con cabeza rioplatense y cuerpo tucumanés, peruano.
Ahora sabemos qué representan ambos conceptos, cuál es la
enorme diferencia cultural y civilizatoria entre ambas sociedades. Pero lo que juzgamos imposible desde el análisis sociológi-
co podía tener una solución política: la voluntad de imperar.
Sólo si la capital liberal y atlantista era capaz de enarbolar una
voluntad imperial propia, el invento de Carlos III era viable. Ésa
fue la apuesta histórica.

Y es en este sentido que lo imposible se vuelve sinónimo de
imperial. Hace a la naturaleza del poder imperial el reinar sobre
culturas y civilizaciones diferentes, me animo a decir que ésa es
su carnadura específica. Tal fue la concepción imperial de los
Habsburgo, como lo fue antes la de Roma, como lo fue aquí la
de los incas.

La Buenos Aires virreinal tenía al este una gobernación de
Montevideo atlantista, al nordeste un Paraguay clerical-perua-
no, al noroeste todo el vasto mundo tucumanés con nudos
hiperconservadores en el Alto Perú, al oeste la región de Cuyo
desgajada de un Chile que también es frontera, inquietud, y al
sur el desafío del enemigo inglés. Estos diferentes "reinos" formaban su imperio. Y recordemos que en 1776 Buenos Aires y
su zona sólo reunía el 5 por ciento de la población total del virreinato. Éstos eran sus recursos humanos cuantitativamente
hablando.

Pero otros eran sus triunfos. La capitalización dio a Buenos Aires nuevos recursos, la condigna autoridad imperial y
una implícita legitimación de sus principios y estilo de construcción cultural.

Los nuevos recursos son compatibles con la civilización
rioplatense, porque vienen de la Ilustración española y del mo-

delo burocrático borbónico que alcanza su cenit. Los virreyes serán todas figuras de primera magnitud, hasta el malogrado Cisneros, héroe de Trafalgar y que al regreso de Fernando VII será su ministro de Marina. La corte del primer virrey efectivo, Vértiz, estará poblada de inteligencias notables, como Alvear, Lavardén, Maciel, el obispo San Alberto. El nuevo Estado con sus intendencias de reciente invención y un aparato militar modernizado tendrá servidores españoles-europeos de la talla de Manuel Ignacio Fernández, el gran reformador militar y fiscal, y Don Francisco de Paula Sanz, presunto hijo bastardo de Carlos III y una princesa napolitana, propulsor de las reformas económicas. Los hombres exaltados a los primeros cargos, los que llegan como funcionarios o como actores sociales al estilo Romero, son todos portadores de la concepción ilustrada de la sociedad y el Estado, potenciando así los impulsos propios de la ciudad.

Buenos Aires, capital de su virreinato-imperio ocho veces más grande que la España europea y poblado por 800.000-1.500.000 almas, asume su responsabilidad imperial. El gobierno de Vértiz se caracteriza por tres movimientos estratégicos que seguirán sus sucesores: explorar y poblar las costas patagónicas, empujar hacia el sur a los indios insumisos a lo largo de todo el camino que une a la capital con las nuevas provincias cuyanas y afirmar la autoridad de Buenos Aires en el remoto y autónomo Alto Perú. Son movimientos de expansión hacia el sur, hacia el oeste y hacia el norte, procurando asentar la autoridad rioplatense en toda su jurisdicción. No es difícil advertir que la Argentina independiente heredará estos tres ejes imperiales hasta formar un territorio que se asemeja a un semicírculo con centro en Buenos Aires.

El ejercicio imperial desbordará lo puramente geoestratégico para pasar a lo cultural y culminar en lo político. No sólo se traslada a Buenos Aires la única imprenta existente en el virreinato sino que la Corona y los primeros virreyes se empeñarán en establecer en la capital una universidad de jerarquía metropolitana, intento que Córdoba y los núcleos antiliberales lograrán frenar hasta 1821.

La mirada del historiador y ensayista chileno Álvaro Góngora nos muestra, desde otra perspectiva, esa misma realidad. En la conferencia dada en Buenos Aires en junio de 1996, dice: "El interés que despertaba una colonia próspera y estratégicamente ubicada —cuestión de la cual fueron perfectamente conscientes los sectores dirigentes del virreinato—, que "miraba" hacia el Atlántico, que desde hacía tiempo era acechada por portugueses e ingleses y, luego de la acefalía monárquica, por las pretensiones políticas de la infanta Carlota Joaquina, hermana de Fernando VII y mujer del Príncipe Regente de Portugal que había emigrado con la Corte a Río de Janeiro, eran circunstancias que obligaban a la elite bonaerense a estar atenta e informada de cuanta noticia circulaba y de los informes oficiales y privados procedentes del extranjero. En fin, Buenos Aires había llegado a ser un centro de actividad y operaciones gravitante en el extremo sur del continente. Centro de operaciones que para Chile sería fundamental." Y llama a la Buenos Aires de la época "auténtica vía de oxigenación".

También el poder económico experimentó una profunda mudanza.

El grupo de los comerciantes esclavistas liderado por Romero fue el principal revulsivo en el férreo sistema de poder que habían montado los monopolistas que importaban "efectos de Castilla". El giro gigante de los negocios de esclavos y el poder financiero que pronto acumuló esta parcialidad alteraba el predominio de los importadores clásicos. Cuando las guerras europeas obligaron al virrey a decretar en 1791 el libre comercio con los países neutrales, los nuevos potentados ocuparon esa excepción para ampliar sus actividades.

La batalla se trasladó al Consulado recién establecido —ámbito institucional para la defensa y promoción de los intereses comerciales— y en 1799 el jefe virtual del grupo monopolista, Don Martín de Álzaga, consiguió llegar a la dirección del cuerpo.

El "comercio con neutrales" tenía nombre propio, "Portugal". Y la secular y nunca disuelta ligazón económica de las dos grandes capitales atlánticas funcionó a pleno. Tanto, que el síndico del Consulado, José Hernández, acusó al Brasil de haber conseguido "controlar el tráfico con La Habana, Caracas y Cartagena gracias a esa libertad". Era la vieja furia existencial del partido monopolista español contra la complementación económica de Buenos Aires y Río de Janeiro.

Las quejas de Hernández y los éxitos políticos de Álzaga fueron vanos. El "comercio de neutrales" pasaba por la vía histórica del entendimiento rioplatense, y se impuso. Al terminar el siglo, cuando la guerra había concluido, los nuevos comerciantes porteños lograron de los sucesivos virreyes una continuidad del tráfico "neutral" en medio de la grita de Álzaga y su grupo. Socolow calcula que sólo un tercio de los comerciantes porteños eran todavía partidarios del monopolio; los otros habían sido ganados para la nueva causa. El partido del comercio libre era ya mayoritario en la propia clase comerciante.

Los sucesos se aceleraron. Ni aun un virrey propenso a escuchar a los grupos tradicionales como Rafael de Sobremonte fue sensible a las presiones de Álzaga. Y esto sucedía en 1805, a las puertas del descalabro definitivo que inauguran las disposiciones libérrimas del gobernador inglés Beresford y que luego confirmarán parcialmente el virrey Liniers por convicción y Cisneros por necesidad.

La debilidad de los monopolistas era ya tan evidente en 1805, cuando sólo se trataba del poder político generado dentro de la ciudad sin que se hubiese presentado la ruptura inglesa, que Segretti puede decir: "En este año el poderío económico de los monopolistas seguirá decayendo. La pendiente venía produciéndose lenta pero firme, desde hacía varios años; si esa trayectoria se trasladara a un gráfico, 1805 aparecería como el punto en que, a partir de él, la curva se torna nítida para descender bruscamente".[46]

La pendiente no fue invisible para los protagonistas. El más empecinado de los monopolistas, Álzaga, tuvo la frialdad y la inteligencia necesarias para asomarse al abismo y actuar en consecuencia. Y su acción fue un "crescendo" desde lo puramente gremial y social a su compromiso económico personal en financiar la reconquista de Buenos Aires por Liniers, y luego convertirse en forajido político al intentar el golpe de mano de 1809 contra el mismo virrey que ayudó a entronizar. Álzaga quiso hacer una revolución para atrás, lo que constituye prueba suficiente de que la revolución para adelante, que aflorará en 1810, preexistía ya en los negocios, los intereses y las decisiones de la ciudad.

En cuanto a la autoridad política de la capital, decanta en los episodios de 1806, cuando la primera Invasión Inglesa. Estamos acostumbrados a que se nos diga que aquellos sucesos —y los de 1807— dieron a los criollos "conciencia de su poder" habilitando el camino de la Independencia. Es una explicación verosímil pero incompleta. Porque el desembarco inglés y la reacción rioplatense dieron lugar a una batalla política de gigantescas consecuencias y que está integrada por dos momentos: la elección de una estrategia militar y la elección de una cabeza política.

Ante el desembarco inglés, el virrey Rafael de Sobremonte, muy querido por la sociedad tucumanesa, reconocido gracias a su brillante gestión como gobernador de Córdoba del Tucumán por tres períodos consecutivos y prestigiado por sus dotes y su carrera militares optó —junto con la plana mayor del gobierno virreinal y los jefes de las tropas— por la solución estratégica que estaba prevista: replegarse a Córdoba, solicitar el auxilio de las ciudades tucumanesas y esperar el apoyo del virrey del Perú para lanzar una contraofensiva. Era una alternativa militar sensata y prudente que tenía una alta probabilidad de eficacia.

Pero ella partía de un supuesto implícito: la región del Río de la Plata no tenía la fuerza y/o la voluntad necesarias para derrotar a un enemigo de la talla del inglés y se requería toda la potencia del mundo peruano-tucumanés para esa tarea.

El supuesto de Sobremonte —y de la burocracia regia que había diseñado esos planes previamente al ataque inglés—, subestimaba la voluntad imperial de Buenos Aires y sobreestimaba al atacante. La retirada del virrey en cumplimiento de su opción estratégica le dio a Buenos Aires la oportunidad histórica que precisaba. Y lo condenó a Sobremonte —equivocado, que no traidor— a una maldición de la memoria que aún lo persigue.

La eficaz respuesta de Buenos Aires en las jornadas de la Reconquista produjo un desequilibrio histórico definitivo. La ciudad demostró simultáneamente que podía pelear contra los enemigos del mundo atlántico —su mundo— sin complejos de inferioridad y que era capaz de imponer a sus provincias interiores los criterios políticos y estratégicos. Como resultado natural, eligió a Santiago de Liniers en lugar de Sobremonte, eligió la cabeza política, dio un golpe dinástico.

El golpe dinástico significaba reemplazar a un virrey tucumanés —según su carrera, sus relaciones, sus apoyos y sus preferencias— por un caudillo atlántico. Y sentaba el precedente de que la capital del imperio podía tomar decisiones políticas por sí e imponérselas al conjunto. Las provincias resistieron. Sobremonte se afirmó en su autoridad en todo el virreinato fuera de la capital. Y durante más de un año vivimos la experiencia de dos virreyes virtuales, anticipando en medio siglo la fractura de la Argentina entre porteños y confederados. Éste es un conflicto y un lapso que la historiografía argentina suele dejar en la bruma, sobre todo en cuanto se refiere al gobierno paralelo, legal e "interior" del infausto marqués.

Los episodios de 1806 y 1807 coronan la autoridad imperial de Buenos Aires. La ciudad demuestra al mando militar español que hay capacidad de respuesta en el Atlántico con los solos recursos americanos y que ella puede encarnar esa respuesta. Al mismo tiempo, anoticia a las provincias interiores y a las otras potencias que tiene capacidad militar y económica para enfrentar enemigos de la talla de Inglaterra. Y termina imponiendo a todo el territorio virreinal de su dependencia la solución política que más le acomoda en el nombramiento definitivo de Liniers.

No menos importante es la repercusión internacional de las derrotas de dos grandes y ennoblecidos generales ingleses —Beresford y Whitelocke— a manos de los rioplatenses. Por lo que nos importa, significaba que una región española del mundo atlántico podía defender sus derechos por sí sola, aun en plena descomposición de la potencia metropolitana, y presentarse como una marca civilizatoria autónoma en el espacio oceánico más dinámico y competitivo de la época. A los ojos del mundo atlántico, la Argentina nace como polo específico con los episodios de 1806. Es verosímil que en los años siguientes, cuando la Independencia sea una faena frágil y cambiante, el prestigio militar así adquirido por Buenos Aires haya protegido el frente marítimo de la nueva nación.

Si bien se mira, la ciudad imperial se aproxima al tiempo de su protagonismo americano con pasos sucesivos que van integrando su independencia. Antes de la independencia política, Buenos Aires conquista su autonomía en las dos especialidades que han definido su perfil: el comercio y la guerra. El comercio con neutrales autorizado en 1791 y la inmediata creación del Consulado detonan la autonomía comercial que se afianzará año por año a medida que los nuevos comerciantes predominen sobre los viejos monopolistas. Por lo visto, esta autonomía comercial se vuelve irreversible alrededor de 1805. La organización militar de la ciudad para reconquistarse a sí misma en 1806, el implícito cambio de estrategia defensiva y los episodios de 1807 establecen una suerte de autonomía militar cuya existencia será perceptible para Cisneros durante su corto mando y dará sustento armado a la conspiración de mayo de 1810.

En otras palabras, antes de la revolución política del 25 de Mayo, la ciudad había ya alcanzado su independencia comercial y militar. Me parece que ésta es la génesis necesaria de la gran alianza política que hace posible la instalación de la Primera Junta. Y de esta manera los episodios de 1810 se limpian un poco de la subitaneidad con que suele presentárselos para aparecer en todo su brillo como culminación de una marcha hacia la libertad que no fue ni corta ni mágica.

La capitalidad decretada en 1776 es el horcón que sostiene la techumbre de la Argentina imperial. En los cuarenta años precedentes Buenos Aires adquiere el volumen y los rasgos de una gran ciudad atlántica, comerciante y guerrera. En los cuarenta siguientes asume, ejerce y extiende su autoridad imperial. En conjunto, los ochenta años que se reparten a ambos lados de la decisión de Carlos III conforman un lapso de enormes éxitos para la ciudad rioplatense, sus ideas y sus intereses. Cuando el 9 de julio de 1816 el Congreso reunido en San Miguel del Tucumán declara la Independencia de las Provincias Unidas, el imperio de Buenos Aires ha alcanzado su máxima extensión jurisdiccional. Y allí empieza el ajuste político entre la visión tucumanesa de la sociedad y de la vida y la visión rioplatense. Durará hasta la batalla de Pavón (1861) y acaso hasta la derrota del Paraguay (1870) y será el período más sangriento de nuestros quinientos años de historia.

Pero es así, con esta visión de la ciudad imperial, sus éxitos y su legitimidad, que podemos entender la dinámica del largo holocausto del siglo XIX. He explicado en *La Argentina renegada* que los doscientos años de éxito de la sociedad tucumanesa consolidaron ese modelo y la ideología de ese modelo. Ahora es menester destacar que el ascenso meteórico de Buenos Aires en sus ochenta años fundantes le dio a la sociedad rioplatense una concepción de éxito para su modelo y su ideología de igual legitimidad y fuerza que la de los tucumaneses.

En 1806 Buenos Aires era por lejos la mayor ciudad del territorio de la actual Argentina. Pero no tenía ese rango en el conjunto de su virreinato, ya que Potosí continuaba siendo una ciudad mayor y más rica y Charcas —también llamada La Plata y Chuquisaca— tenía más poder cultural y tanto poder político como asiento de la Real Audiencia. Quiero decir que la prioridad que va adquiriendo Buenos Aires no es cuantitativa, sino que resulta de una voluntad ideológica y política que tiene que ver con el éxito de su modelo.

Y es la derrota del invasor inglés lo que exalta y da forma definitiva a ese sentimiento de éxito. La percepción de esta circunstancia llega a los adversarios mismos de la ciudad rioplatense: en 1808 el presidente de la Audiencia de Charcas, Ramón García de León, marqués de Campo Pizarro, manda levantar en su ciudad —hoy llamada Sucre— un obelisco en homenaje a la reconquista de Buenos Aires que aún existe en la plaza que se denomina, justamente, de la Libertad. Pizarro es el último presidente de la Audiencia, un gran oficial imperial nacido en África y recordado por sus trabajos altoperuanos. Y aquel obelisco de gran porte, levantado a más de dos mil kilómetros de Buenos Aires, es seguramente el primer homenaje político que recibe la ciudad, el primer reconocimiento explícito de su autonomía, acaso el primer monumento a lo que será el espíritu argentino.

Si la sociedad tucumanesa estaba afirmada en sus convicciones porque a lo largo de doscientos años se había sentido integrando el centro del mundo y viviendo en una situación de prosperidad material y espiritual sin fallas, la sociedad rioplatense llegaba al mismo convencimiento respecto de sus puntos de vista porque le habían permitido un progreso fulgurante y había recibido la bendición regia en la capitalidad de 1776 y el bautismo de fuego en 1806.

Así, el proyecto imperial de Carlos III se lanzaba a la Independencia, en 1816, portando dos modelos de sociedad igualmente legitimados por el éxito pero profundamente dispares.

169

Los dos modelos expresaban y representaban dos estructuras. La estructura tucumanesa era la más extendida, la más poblada, la más antigua, la más estática. La rioplatense era minoritaria, nueva y trepidante. La inercia del tamaño de una se compensaba con la dinámica de la otra. Buenos Aires sabía que su autoridad dependía —una vez desaparecida la tutela de Madrid— de su capacidad para conservar la iniciativa política, convirtiendo a su estilo de decisiones rápidas e inesperadas en su fuerza de mando. Ésta será la técnica de su relación con las provincias interiores desde 1806 en adelante.

A partir de la Independencia, los pueblos del virreinato se enfrentan a distintas posibilidades: preservar la unidad del reino o desmembrarlo, darle a esa unidad el contenido del modelo tucumanés o del rioplatense. Y en el juego de esas alternativas se va a tejer la historia de la formación de la Argentina, el Uruguay, el Paraguay y Bolivia.

Desde el primer momento, la ciudad imperial tiene elegida su posibilidad, su proyecto: preservar la unidad del reino imponiendo a todas las provincias el modelo rioplatense. Y siguiendo la traza de 1806, de 1807 y de 1810 tiene la voluntad y los recursos para despachar con toda celeridad sus excursiones militares a la rebelde Córdoba, a todas las ciudades de la ruta al Alto Perú hasta las costas del lago Titicaca, en Huaqui, al Paraguay reticente y a la Banda Oriental amenazada por los portugueses.

Llega el tiempo de los designios continentales. Y en la defensa y rediseño de su espacio y en el florecimiento de su cultura y sus intereses, la ciudad subirá hasta la cumbre de la épica. Tenemos poca memoria de esa esencia rioplatense —que como ya hemos visto viene desde los primeros ataques portugueses luego de 1640—, pero algunas miradas han penetrado ese olvido. La mirada y la voz de Borges nos devuelven la gloria de los combates con que la ciudad se hizo americana:

"Los mayores hicieron la ciudad
la hicieron con una cruz y una espada
la hicieron con sudor, con años, con lágrimas;
también con el coraje y con el destierro.
La hicieron para los ejércitos que volvían
después de las victorias.
La hicieron para aquellos que no volvieron
y ahora son polvo del planeta..."

Buenos Aires ya sabe que no sólo tiene la legitimidad imperial dada en 1776 sino que su prosperidad como centro capitalista moderno y nudo de la vida atlántica depende de la extensión de su influencia tierras adentro del mundo indiano. Lo que Madrid le dio en 1776 Buenos Aires está decidida a conservarlo por sus propios medios desde 1810 en adelante. La política imperial que le fue mandada se le hizo carne en los cuarenta años de prosperidad virreinal.

Esa política tiene sus impulsos y sus frenos, las pendientes por donde se expande con holgura y las cuestas que la detienen. No se trata de un diseño consciente y global, sino de una sumatoria dinámica de intereses y voliciones que se van manifestando en cada circunstancia, aunque es justo reconocer que algunos de los grandes políticos porteños del siglo XIX sabían leer e interpretar ese galimatías.

No está escrita la crónica de cómo la dirigencia porteña tomó sus decisiones en cada etapa. Pero de algunos de esos grandes momentos nos han quedado testimonios ejemplares. Cuando en julio de 1822 —pocos días antes de la memorable entrevista de Guayaquil— llega a Buenos Aires un emisario personal de San Martín para gestionar un mayor apoyo financiero de la ciudad al Protector del Perú, la reacción es concertadamente adversa. Mientras la logia Valeper debate los alcances de los intereses de Buenos Aires en el Perú con total franqueza, el vocero oficial del gobierno, Juan Cruz Varela, expone en un minucioso artículo publicado en *El Centinela* del 28 de julio cómo Buenos Aires no tiene intereses prioritarios en Potosí ni en el Perú, fundando en ello la conveniencia de no brindar mayor apoyo a los ya lejanos libertadores. Presintiendo esta respuesta llegó San Martín a la conferencia decisiva con Bolívar.

La deserción de Buenos Aires a partir de cierta etapa de la guerra continental por la Independencia es una realidad que solemos abordar con ánimo vergonzante. No interesan los juicios de valor que, además, serían injustos sin sopesar toda la situación estratégica del Cono Sur bajo la agresiva política del imperio del Brasil. Rápidamente, podríamos decir que la novísima Argentina estaba comprometida en dos frentes de guerra simultáneos: la guerra ideológica contra Fernando VII en el espacio andino y la guerra territorial contra el viejo adversario portugués en el espacio rioplatense. Vale la pena ver estos episodios en paralelo no sólo porque así se presentaron en la realidad sino también porque simbolizan el carácter bifronte de nuestro país ya desde los días iniciales.

Pero cuando por todas estas razones Buenos Aires decide retirarse del Perú e incluso le pide a San Martín que haga retornar al ejército para restablecer el orden interno y defender el flanco oriental, se está perfilando una política de espaldas a la fraternidad indiana que llegará al exceso del aislacionismo. La Buenos Aires que se separa de la Confederación en 1854, la que quiere desentenderse de las provincias y la que después rechazará los compromisos con el mundo hispanoamericano es la hija patológica de aquella opción. Y también ella está en la herencia rioplatense de nuestros días.

Digo esto, porque en el estudio de la Argentina tucumanesa puntualicé con cierto detalle —y luego redondeé con un bello juicio lapidario de Alejandro Korn— los defectos y patologías de aquella herencia y justo sería que se me increpe preguntándome ahora si, a diferencia de aquéllas, las rosas rioplatenses vienen sin espinas.

Una de las grandes herencias negativas de Buenos Aires es esta contrafigura de su cosmopolitismo: la resistencia a asumir un compromiso profundo con las provincias y culturas interiores de su "imperio". De ello deriva la distancia espiritual de los rioplatenses respecto de la herencia indiana. Una distancia que será desprecio cuando los porteños anatematicen a los inmigrantes provincianos con el mote de "cabecitas negras". En los tiempos actuales, esa distancia ha contribuido a cimentar la quimera de que el nudo capitalista porteño puede seguir prosperando en un contexto nacional y regional pauperizado; hay de este condimento en casi todas las doctrinas económicas ultraliberales de la Argentina de nuestros días.

Pero también en la concepción política del mismo Carlos III hay otros genes negativos que entraron de lleno en la formación de nuestra conciencia política. Toda la gran reforma borbónica se desliza hacia el despotismo ilustrado y va definiendo una primacía de los fines sobre los medios. El regalismo conduce a formas de infalibilidad regia y a un alineamiento con la autoridad del monarca que no era del estilo Habsburgo y que tiende a crear una sociedad vertical. Desde la cúspide baja a todo el imperio la modernización y el liberalismo de la Ilustración, pero como política de Estado, como orden superior. Este deslizamiento no parece peligroso en manos de un Carlos III, aunque es resistido en América de muchas formas. Pero una vez establecida esta nueva filosofía política (regalismo, centralismo, poder absoluto), no habrá luego vallas para la labilidad de un Carlos IV, la corruptela del favorito Godoy y la dictadura franca de Fernando VII. La subordinación de los medios a los fines habrá destruido la capacidad del Estado para transar pacíficamente los conflictos en la España europea y para mantener la flexibilidad del pacto colonial.

Esta ortodoxia instrumental del despotismo ilustrado hará escuela en el pensamiento de Buenos Aires: lo que es moderno, lo que es liberal, lo que es favorable al progreso, debe ser inducido desde el gobierno y, si es menester, impuesto. Esta suerte de fundamentalismo jacobino que en los virreyes fue firmeza del mando contra los viejos grupos conservadores, en los jóvenes

172

de la Revolución de Mayo tomará formas abruptas y aniquiladoras. Y la idea del liberalismo como política de Estado será una constante en los gobernantes y políticos rioplatenses de la segunda mitad del siglo XIX, incluyendo a la celebrada "generación del '80".

En su muy estimulante *La invención de la Argentina*, el ensayista norteamericano Nicolás Shumway ha estudiado el caso polémico de Mariano Moreno y su "Plan de Operaciones", trazando una línea de "morenismo" que avanza en la historia argentina: "... jóvenes soñadores que querían hacer de su país una vidriera de la civilización occidental... Pero la suya era una democracia particularmente antidemocrática, cuyos dirigentes eran más príncipes filósofos que representantes salidos del pueblo".[47]

Esta suerte de liberalismo vertical fue, es cierto, una gran fuerza para que Buenos Aires impusiera su política. Es difícil imaginar que una minoría política y cultural como era la rioplatense en el gran espacio de su "imperio" hubiese podido consolidar su poder de otro modo. Pero no menos cierto es que esa ideología deja un sedimento, también carga negativa de la sociedad argentina contemporánea. ¿Qué es, si no, el reiterado e incomprensible espectáculo de nuestros liberales autoritarios?

Buenos Aires fracasó en preservar la unidad de todo el reino, pero triunfó en imponer el modelo rioplatense a las regiones que quedarían bajo su autoridad. Aquel fracaso —fracaso relativo, sin duda— dibujó el actual contorno del territorio argentino. Y el éxito fue construir en el territorio remanente, con su enorme mayoría de tierras y poblaciones tucumanesas, una república atlántica, cosmopolita, liberal y abierta, mucho más parecida al sueño de Carlos III que a la tradición indiana de tres siglos.

Pero esta construcción del imperio de Buenos Aires ha conservado su esencia imperial: amparó en su seno los dos modelos, las dos estructuras, y las múltiples combinaciones entre ambas. Y el desafío político de los dirigentes argentinos desde la Independencia hasta el presente ha sido tejer y destejer las combinaciones entre las dos estructuras fundadoras, formando un verdadero sistema cuya armonía es el secreto de la nación argentina.

13. La república atlántica

El 12 de septiembre de 1812 se encontraron en la Catedral las más altas expresiones del poder de Buenos Aires. Llegaron los comerciantes y banqueros más ricos con sus familias, vestidos lujosamente y enjoyados con piezas elegidas de sus alhajeros personales; rodeaban y cumplimentaban al hombre más adinerado de la ciudad, Don Antonio José de Escalada. Se presentaron los oficiales y jefes de todos los regimientos que no se encontraban en campaña por el Alto Perú, vestidos de gala, acompañados por sus esposas quienes estaban casados, como Carlos María de Alvear. Llegaron los otros depositarios del poder social de la ciudad, encabezados por Mariquita Sánchez de Thompson. Y se formó un remolino de saludos cuando entró al templo el triunviro Juan Martín de Pueyrredón con varios miembros del gobierno.

La ciudad se había reunido para celebrar una alianza: el matrimonio de una hija de la mayor fortuna, Remedios de Escalada, con el jefe militar más encumbrado de las nuevas promociones, el teniente coronel José de San Martín. Como en un cuento infantil, el más fogoso espadachín se jugaba en la defensa de la dulce heredera. En tanto alianza política, era paradigmática: Buenos Aires unía sus dos fuerzas históricas, sus dos instrumentos previrreinales, el comercio y la guerra.

El sentido político de este casamiento ha sido poco subrayado, como no sea para sugerir que San Martín era un frío calculador aun en sus decisiones amorosas. Porque sin abrir un debate sobre los móviles del teniente coronel y su acaudalado suegro, es conveniente tanto observar que a partir de este matrimonio la gigantesca carrera del militar estará ligada a los intereses comerciales de la ciudad, como suponer que Don Antonio de Escalada y sus amigos tendrían un rol activo en el juego de apoyos y retaceos que orlan el diseño político sanmartiniano.

Por lo demás, José de San Martín y Remedios de Escalada simbolizaron en su unión matrimonial toda la dinámica de la ciudad que se lanzaba a la mayor aventura de su historia: construir el imperio atlántico, ahora políticamente independiente.

El imperio fue república. Para conservar su ductilidad imperial la república tuvo que aceptarse federal y para imponer su concepción de la sociedad Buenos Aires tuvo que ser autoritaria. El modelo tiene su doctrina en la Constitución de 1853 y su primer gobierno de unidad en la persona de Bartolomé Mitre. Para ser una república con política imperial, la nuestra debió elegir el hiperpresidencialismo. Y los presidentes desde 1868 a 1890 tuvieron una doble condición original y sugestiva: eran tucumaneses partidarios del modelo rioplatense.

Pero no sería justo que este trazo grueso con que procuramos abarcar décadas de historia dejara la impresión de que todo fue determinado, esquemático y fácil. Los cuarenta años que van del enlace Escalada-San Martín hasta la batalla de Caseros son una larga gestación, rediseño y avance del modelo atlantista. Y cuando el libertador Urquiza entra en Buenos Aires, él mismo y muchísimos dirigentes esclarecidos de las provincias han virado hacia las ideas liberales por sobre las tradiciones conservadoras de sus raíces. Los federales convertidos a la democracia con Urquiza y los unitarios que logran sacudirse los resentimientos del exilio empezarán a articularse en una columna modernizadora de fuerte penetración.

Pero los hombres de la república atlántica eran conscientes de su debilidad relativa. Política y militarmente triunfantes, respaldados por las finanzas y el comercio porteños y aventajados en las técnicas, las ideas y las ciencias, debían resolver la inecuación social y demográfica del "imperio" argentino. Independientes ya la Banda Oriental, el Paraguay y Bolivia, la Argentina resultante seguía siendo mayoritariamente tucumanesa, "bárbara".

Ese desequilibrio albergaba un peligro fatal para la república atlántica. La forma banal de resolverlo era con la separación de la provincia de Buenos Aires para construir en ella otro país pequeño y depurado similar al Uruguay, riesgo que estuvo latente por lo menos hasta 1880. La otra forma de resolverlo es lo que Mitre denominará "nacionalismo", una política compleja y de frutos inciertos pero que recogía el mandato más audaz: el país grande, pacientemente convertido al modelo atlantista.

Para nuestra suerte de herederos, triunfó la idea grande. Pero el proceso está lleno de fealdades: desde el desprecio explícito por lo "gaucho" hasta la violencia sin cuartel con que se reprimen los primeros alzamientos. Me parece que no es menester rasgarse las vestiduras morales antes de hacerse la pregunta: ¿habría sido posible de otra manera?

Pero estas actitudes enérgicas, casi conquistadoras, debían tener un contenido doctrinario y político para hacer historia y resolver en el tiempo la inecuación original. La doctrina está expresada en todo el accionar de los gobiernos de la Organiza-

175

ción Nacional y en las ideas de la llamada "generación del '80". Son las incontables reformas militares, jurídicas, sociales, educacionales, de infraestructura, de inversiones, poblacionales y hasta historiográficas —encabezadas por Mitre en persona— que se realizan en aquel tiempo. Casi todas serán resistidas por la Argentina tucumanesa; algunas de manera teatral, como la insurrección contra la ley de educación 1420 que intenta promover en Córdoba el nuncio apostólico en persona. Todas esas reformas integran un "corpus" que satisface tanto la herencia de la ciudad imperial como las tendencias del pensamiento liberal occidental. Son las reformas del mundo atlántico del siglo XIX, que Buenos Aires integra por derecho propio y al que procura llevar al conjunto de esa Argentina que la tiene por capital. Esas reformas definen una estrategia, la estrategia de una modernización masiva y simultánea en todos los campos del quehacer público.

Esa estrategia fue servida por una táctica que ya hemos presentado: la presión permanente y veloz de la iniciativa política desde Buenos Aires. Con sus complementos: un continuo fortalecimiento de la autoridad presidencial para contrarrestar a los gobernadores, la convicción de que las reformas deben hacerse de arriba hacia abajo como políticas de Estado y el pacto tácito de que las diferencias y conflictos debían resolverse en el seno de la elite, sin participación popular.

Esto último está tenido por muchos como el pecado capital de los protagonistas de la Organización Nacional. En verdad, estando el principio del sufragio universal establecido en la Constitución, con precursores tan antiguos y celebrados como Manuel Dorrego y en una época del mundo en que hasta Napoleón III elegía el camino del plebiscito para reinstalar el Imperio, parece anacrónico que nuestra república atlántica debiera esperar hasta la presidencia de Roque Sáenz Peña (1910-14) para escuchar la voz del pueblo.

¿Qué clase de demócratas y liberales convencidos eran Mitre, Sarmiento, Avellaneda, que preferían ser elegidos en comicios amañados y opacos, viciados por la violencia y los compromisos?

Eran demócratas atlánticos... minoritarios. Si todos los argentinos hubieran acudido a las urnas en aquellas elecciones presidenciales o legislativas, invariablemente el mundo tucumanés hubiese tenido una mayoría abrumadora. El voto popular habría detenido las reformas y consolidado por mucho tiempo el poder de los sectores sociales y económicos resistentes al cambio.

Mitre, Alberdi y Sarmiento conocían esta situación y sabían que si no resolvían esa inecuación a favor del modelo atlántico la república terminaría quebrándose. Y trabajaron con todos los instrumentos de la acción pública para alcanzar, por lo menos, una situación de equilibrio entre las dos culturas. A ese objetivo concurrían todas las políticas elegidas y por eso es tan conmovedoramente sincera la postura de "educar al soberano". Y todas ellas, articuladamente, dieron su fruto. Pero hay una que resultó la más eficaz en términos cuantitativos y cuya inmensa impronta fundacional nos abarca a todos: la inmigración.

La política inmigratoria no fue milagrosa ni espontánea. Recogía la tradición rioplatense que hemos visto al analizar el crecimiento de la ciudad en el siglo XVIII. Y la recogió entera: debía promoverse como objetivo de gobierno y realizarse cuidando que la sociedad conservara su movilidad interna y la libertad de ideas estuviese garantizada. A esta tradición, los hombres que volvían de los viajes del exilio agregaron su conocimiento de las culturas europeas y estadounidense de la época, orientando hacia ellas las preferencias inmigratorias del Estado argentino.

Esta política era la política de Buenos Aires y su zona de influencia porque sólo ella podía ofrecer una sociedad con alta movilidad interna y gran tolerancia ideológica (religiosa). En el espacio tucumanés sería sólo una política enunciada y garantida por la Constitución nacional y sus réplicas provinciales, pero inaplicable en la realidad social y cultural detenida aún en el "magnífico aislamiento".

Sólo la Argentina atlántica *podía* recibir la inmigración. Y sólo ella *quería* recibirla. Porque esa inmigración será el más formidable impulso para el cambio económico y cultural, pero también el recurso cuantitativo para resolver la inecuación demográfica riesgosa. Puede suponerse que es por este motivo que Alberdi y los otros promotores insisten en procurar inmigrantes de la Europa nórdica, con una alta probabilidad de que resulten liberales, no católicos y propensos a una organización abierta de la sociedad. Con estos migrantes Buenos Aires esperaba compensar la ventaja poblacional del espacio tucumanés resolviendo la inecuación heredada.

El poder y el querer de Buenos Aires redefinen el marco de la política inmigratoria que suele ser presentada como un pivote de la Argentina total. No es así: la inmigración fue una política de una parte de la Argentina, del mundo atlántico, de la cultura rioplatense. La Argentina tucumanesa no pudo y no quiso participar de esta gigantesca reforma y sólo recibió una onda lejana y tenue del gran desembarco. No hay misterio: la actitud tucumanesa frente a la inmigración es de resultados casi idénticos a los de la sociedad chilena y apenas algo mejores que los de bolivianos y paraguayos.

La corriente inmigratoria llenó el espacio política, social y culturalmente dominado por el modelo rioplatense. Como gran parte de este espacio ha coincidido con las tierras del milagro agrícola y ganadero de exportación, hay una justificada tendencia a ver en la localización de los migrantes un motivo puramente económico. También es un error: todos los entonces "territorios nacionales" incluidos en el espacio político de Buenos Aires pero no tocados por la varita de la nueva agricultura fueron igualmente bendecidos por el maná inmigratorio. No hubo trigo ni vacas Durham en Misiones, Chaco, Formosa y las provincias patagónicas, pobladas masivamente por inmigrantes que allí pudieron formar sociedades abiertas y tolerantes al amparo de los jueces federales y los gobernadores nombrados desde Buenos Aires. Es curioso mirar hoy la sociedad multicolor, multicultural, abierta y vanguardista de la provincia de Misiones colindando con la conservadora Corrientes y el autoritario Paraguay con quienes aparea, sin embargo, sus especialidades agropecuarias.

Todas estas argumentaciones destilan un subproducto de la mayor importancia aunque también tenga aspecto polémico: la gigantesca inmigración europea a la Argentina no hizo nuestro espacio público, sino que se adaptó a él, lo aprovechó y lo llenó. En otras palabras, el diseño de una sociedad abierta, tolerante, innovadora y democrática es causa y no consecuencia de la inmigración europea.

Nuestros abuelos inmigrantes, al acudir a nuestro territorio porque existía ese modelo atractivo y protector, vendrán a reforzar el modelo mismo, dándole carnadura, dinámica económica y peso demográfico. A principios del presente siglo la república atlántica tendrá adentro radicados, asimilados o en camino de serlo e incorporados a la vida pública, a millones de nuevos pobladores, capaces de contrapesar y luego superar la masa de la sociedad tucumanesa.

El impacto numérico no puede ser exagerado. Según las cifras que da Torcuato Di Tella[48], en 1914 los extranjeros formaban casi el 30 por ciento de la población nacional, contra el 17,4 en el Uruguay (1908), el 14,5 en los EE.UU. (1910), el 5,4 en el Brasil (1910) y el 4,1 en Chile (1907). Con esas cifras, el avance demográfico de la Argentina atlántica sobre la tucumanesa adquiere el aspecto de una estampida.

Y es por estos años, y sólo entonces, que la república atlántica puede darse las dos grandes instituciones que techarán la nueva casa, garantizando la armonía funcional del proyecto: la creación del Ejército profesional (1901) y la Ley de Sufragio Universal (1912). El nuevo ejército para tener una garantía de cohesión del conjunto y el voto libre para que, con su nueva estructura demográfica, el pueblo se haga cargo de la herencia integradora. Nos acercamos a los años felices de la república atlántica.

He dicho de ella: "Rica, democrática hasta el extremo de ser gobernada por el partido popular, provista de una elite cultural y científica de prestigio universal, con una extendida influencia en el continente; ésa es la Argentina que admiran y recuerdan los europeos (de hoy). En esa pensamos también, nosotros mismos, cuando hacemos el balance de nuestra 'decadencia' ".

Nuestra historia oficial es la historia de la república atlántica. Y esta identificación de la memoria global con la de una parcialidad nos ha nublado seriamente la capacidad de entendernos. Por lo pronto, estando las virtudes cardinales de la nacionalidad calcadas de las virtudes rioplatenses, todo apartamiento de éstas resultó condenable.

Al éxito material del atlantismo se sumó el aplauso académico. La libertad, la tolerancia racial y religiosa, la integración étnica, la individualidad, el éxito económico, la modernidad en las ciencias y en las técnicas, la apertura al capital y las tecnologías extranjeras y el cosmopolitismo de las ideas, la estética y las costumbres se han presentado como la esencia de la argentinidad afianzada, definitiva.

Era la esencia de la parcialidad dominante y gozaba de tal prestigio intelectual que se aceptaba en el conjunto del país como el modelo deseado. Pero en lo profundo de la sociedad de 1920 persistía una gran mitad con la otra cultura, los mandatos de la sociedad tucumanesa que parecían perdidos en el tiempo y desprovistos de viabilidad.

Una suerte de accidente histórico vino a romper aquella combinación inercial. Ese accidente se integra con cambios de fondo en la situación mundial, descuidos políticos y desviaciones ideológicas en la dirigencia de la república atlántica, fatiga de algunos protagonistas y descomposición moral de otros y la propia capacidad del mundo tucumanés para reclamar sus derechos luego de un lapso demasiado largo de exclusión desesperanzada. Todo esto sucede en la Argentina entre las dos guerras mundiales, y porque reclama su tratamiento cuidadoso en un libro que no es éste —y que podría llamarse, tal vez, "Crisis y ocaso de la república atlántica"— lo dejo aquí sólo enunciado.

Lo que podría observarme cualquier analista memorioso es que procesos similares se presentaron en todo el mundo en esos años, tiempo de retroceso para el modelo liberal en lo ideológico, en lo político, en lo económico y en lo cultural. Y tendrá razón. Lo original de cada país es cómo reaccionó a ese retroceso, yendo desde la dramática respuesta alemana con Hitler al frente hasta las crisis económicas, sociales y políticas intrasistema que soportaron otros, como nuestros compañeros de pelotón Canadá y Australia. Lo particular de la Argentina es que la respuesta a esa crisis reverdeció los lauros de la sociedad tucumanesa.

Los reverdeció en todo sentido. Empezando por la reaparición de la "otredad" autoritaria y fundamentalista que enseguida atropelló la Constitución, siguiendo por una política económica propensa a la autosuficiencia y terminando en una intolerancia que llevaría a la reimplantación de la enseñanza religiosa en la escuela pública.

Estoy diciendo que el *sistema* argentino basado en el predominio de la *estructura* rioplatense sobre la *estructura* tucumanesa, aunque respetando su subsistencia y las diferencias resultantes, había entrado en crisis. Y la perniciosidad de esa crisis dependía, probablemente, del tiempo que requiriese el volver al equilibrio anterior, tal como sucedía en la mayoría de los países en la inmediata posguerra.

En el caso argentino esa restauración fue imposible. Los cambios sobrevenidos habían adquirido un carácter profundo e independiente de las tendencias mundiales. Este episodio, el más perturbador del siglo XX para la civilización argentina, merece aquí una explicación. Con ello espero culminar el desarrollo de mis tesis centrales, sin por ello entrar en el estudio del funcionamiento de ese *sistema* que, como expongo en el prólogo, no es ahora mi propósito.

Si el radicalismo es el partido de los inmigrantes que llegaban al puerto de Buenos Aires, el peronismo lo ha sido de los que llegaban a las estaciones ferroviarias.

Por razones estructurales y coyunturales una gigantesca ola de migraciones internas estalló en la Argentina hacia 1935. Y a diferencia de otros movimientos de poca monta y corta distancia que siempre hubo en la sociedad, esta ola pareció arrancar desde el fondo de las más lejanas comarcas y desbordar la "cortina de plata" que aún separaba al litoral próspero, rioplatense y "gringo" de la Argentina tucumanesa. Cientos de miles de argentinos de la otra cultura empezaron a descender de los trenes en los andenes de Buenos Aires.

Eran predominantemente hombres y mujeres adultos y jóvenes, con preeminencia de los varones, y encontraron acogimiento económico en Buenos Aires y sus alrededores gracias al desarrollo de la nueva industria que el cerramiento parcial de la economía estaba fomentando. Buenos Aires se hacía industrial, pero con fábricas que enseguida se poblaron de obreros tucumaneses.

El eminente sociólogo Gino Germani, que se esmeró en enseñar la capacidad demostrativa y predictiva de la sociología y que dedicó atención preferente al peronismo, sostuvo que "hacia 1945-46 la mayor parte de la clase obrera nativa y urbana había sido reemplazada por los recién llegados de las provincias". Ésta era la consecuencia de que "entre 1935 y 1946 el total de migrantes internos en el Gran Buenos Aires aumentó de unos 400.000 en 1935 a más de 1,5 millón en 1947".[49]

Esta migración sucede en un país de entre 12 y 16 millones de habitantes y donde las elecciones nacionales convocan a 3 millones de votantes, varones, como lo son la mayoría de los migrantes. Y de ese total de 1,5 millón de migrantes, Germani establece que el 62 por ciento provenía "de las provincias y territorios menos desarrollados", los más alejados de Buenos Aires, los típicamente tucumaneses.

Estos migrantes formaron la columna vertebral del peronismo. Fueron los trabajadores industriales, los de las grandes movilizaciones, los que nutrieron el fortísimo sindicalismo peronista y los que volcaron a favor de Juan Perón los resultados electorales en el Gran Buenos Aires en las revolucionarias elecciones de febrero de 1946.

Es interesante observar la interpretación que da el mismo Germani: "El componente 'criollo' de la nueva clase trabajadora fue tan prominente que produjo la aparición de un estereotipo: el 'cabecita negra', *que a su vez fue sinónimo de peronista*. (...) Para los nacionalistas de derecha y parte del peronismo se lo concibió como el retorno de la 'auténtica' Argentina y su triunfo sobre ese Buenos Aires y Litoral tan extranjeros y cosmopolitas. Para los 'liberales' de viejo cuño significó la vuelta a la 'barbarie' del siglo XIX que supuestamente había desaparecido con la inmigración europea".

Esta visión del maestro Germani, valiosísima por lo que tiene de innovadora, se detiene en las fronteras del verdadero conflicto, sin advertirlo. Para él, esto del "componente criollo" es sólo un sinónimo de atraso y no la torreta de toda una cultura submarina que viene del mundo tucumanés. Descalificando, por ignorancia, la densidad y la fuerza histórica de la Argentina tucumanesa, saca conclusiones apresuradas sobre "procesos de fusión y absorción" que se habrían producido enseguida. Este error de Germani puede ser atribuido tanto a su visión demasiado sociológica de los fenómenos civilizatorios como a su empeño por demostrar la preeminencia de la inmigración europea como determinante de la identidad argentina, lo que ya en su tiempo le había criticado Tulio Halperín Donghi.

Porque la gran pregunta, la que se hizo la izquierda intelectual durante muchísimos años y que todavía nubla los pronósticos políticos en la Argentina, es por qué esos migrantes "criollos" no se mezclaron con el movimiento obrero preexistente y en lugar de nutrir los partidos proletarios de izquierda dieron origen al movimiento justicialista.

Mi respuesta es que esos migrantes no eran simples "atrasados" ni viajaban vacíos de cultura. Llevaban consigo su cultura vieja de cuatrocientos años y que era, es y seguirá siendo una de las raíces de la Argentina completa.

Esa cultura repelía lo extranjero y sentía repugnancia por las propuestas igualitaristas de los partidos marxistas. Se sentía mejor expresada por el pensamiento nacionalista de gran desarrollo en las décadas del '20 y del '30 en el marco de aquel antiliberalismo mundial. Lo he dicho ya en el final de *La Argentina renegada*: fue Juan Perón el que supo juntar genialmente esa esencia tucumanesa de los de abajo con las elaboraciones ideológicas de los nacionalistas del pináculo social.

Agregaré ahora que por eso formó un partido policlasista, tal como había hecho Yrigoyen con el radicalismo cuando confió la jefatura al "pituco" Alvear. Peronistas y radicales tendrían adentro todos los escalones del espectro social, unidos no por una visión clasista o economicista de la vida, sino por su raíz cultural: tucumaneses unos, atlantistas los otros.

La república atlántica se murió en aquellas tempestades que forman remolino en torno del 17 de octubre de 1945. Remolino, digo, porque empiezan mucho antes y continúan mucho después de la efemérides peronista.

Para la visión de largo plazo que estamos tratando de enfocar, los ruidos políticos de ese tiempo no deben ocultar el encuadre histórico: el sistema argentino estaba desestabilizado y las estructuras fundadoras chocaban en seco, sin atenuantes. Es, por eso, tiempo de intolerancia, de "enemigos", de "aniquilación". El mismo lenguaje de las guerras civiles del siglo pasado.

La desestabilización del sistema, su desbaratamiento, empezó con la justificada irrupción de la cultura tucumanesa, pero produciría después patologías específicas y autónomas. La sucesión de golpes de Estado militares sin razón aparente que empiezan con el derrocamiento de Arturo Frondizi en 1962 es una de ellas. El recurso a la violencia como medio de acción política es otra. El encumbramiento de alianzas corporativistas en el lugar de las instituciones republicanas es una tercera.

En su etapa terminal, esta enfermedad histórica produjo daños espantosos: la ruptura de la paz interior, la derrota externa, el empobrecimiento cultural y económico y el apocamiento internacional. Sólo un esfuerzo consensuado de refundación podía detener el derrumbe, aunque perviva el vacío de todo lo destruido.

182

Ese esfuerzo, el esfuerzo de restaurar, reformular o reinventar el *sistema* argentino, empezó el 10 de diciembre de 1983.

Notas bibliográficas

[1] Stradling, R. A., *Europa y el declive de la estructura imperial española 1580-1720*. Ediciones Cátedra, Madrid, 1983. pág 165.

[2] Gil Munilla, Octavio, *El Río de la Plata en la política internacional. Génesis del Virreinato*. Escuela de Estudios Hispano-Americanos de Sevilla, 1949. Prólogo de Vicente Rodríguez Casado, pág. XVI.

[3] Gil Munilla, Octavio, op. cit., pág. 9.

[4] Ferrand de Almeida, Luis. *A Colonia do Sacramento na epoca da sucessão de Espanha*. Faculdade de Letras da Universidade de Coimbra. Coimbra, 1973, págs. 38 y 39.

[5] Ferrand de Almeida, Luis, op. cit., pág. 211.

[6] Boxer, C. R., *O Império colonial português. (1415-1825)*. Edições 70, Lisboa 1981, pág. 48.

[7] Boxer, C. R., op. cit., pág. 50.

[8] Boxer, C. R., op. cit., pág. 19.

[9] Buarque de Holanda, Sérgio, *Raízes do Brasil*, José Olympo Editora. Río de Janeiro, 1991, pág. 12.

[10] Boxer, C. R., op. cit., pág. 52.

[11] Buarque de Holanda, Sérgio, op. cit., pág. 4.

[12] Larriqueta, Daniel E., *La Argentina renegada*, Editorial Sudamericana, Bs. As., 1992, pág. 168.

[13] Boxer, C. R., op. cit., pág. 77.

[14] Teixeira Soares, Álvaro, *O Marquês de Pombal*, Editora Universidade de Brasilia, 1983, pág. 19.

[15] Teixeira Soares, Álvaro, op. cit., pág. 20.

[16] Teixeira Soares, Álvaro, op. cit., pág. 21.

[17] Serrão, Joel, Em torno das condições económicas de 1640. Separata de *Vértice*, pág. 24.

[18] Boxer, C. R., op. cit., pág. 111.

[19] Boxer, C..R., op. cit., pág. 117.

[20] *Historia Geral da Civilizaçao Brasileira*. Dirigida por Sérgio Buarque de Holanda. Sao Paulo 1960. Tomo I, vol.2, pág. 13.

[21] *Historia Geral da Civilizaçao Brasileira*, Tomo I, vol. 1, pág. 343.

[22] Boxer, C. R., op. cit., pág. 309.

[23] Buarque de Holanda, Sérgio, op. cit., pág. 84.

[24] Buarque de Holanda, Sérgio, op. cit., pág. 85.

[25] Bosi, Alfredo, *Dialética da Colonização*, Companhia das Letras, São Paulo, 1992, pág. 33.

[26] Buarque de Holanda, Sérgio, op. cit., pág. 111.

[27] Boxer, C. R. *The Golden Age of Brazil. 1695-1750*, University of California Press, Los Angeles-Londres, 1973, pág. 39.

[28] Prado Junior, Caio, *Historia Económica del Brasil*, Editorial Futuro, Buenos Aires, 1960, págs 61-71.

[29] Boxer, C. R., *The golden age of Brazil*, pág. 163.

[30] Teixeira Soares, Álvaro, op. cit., pág. 32.

[31] Teixeira Soares, Álvaro, op. cit., pág. 55.

[32] Teixeira Soares, Álvaro, op. cit., pág. 38.

[33] Borges de Macedo, Jorge, "Portugal e a economia pombalina. Temas e hipótesis", *Revista de História*, Lisboa, 1954.

[34] Citado por Teixeira Soares, Álvaro, op. cit., pág. 168.

[35] *Historia Geral*, tomo I, volumen 1, pág 360.

[36] Teixeira Soares, Álvaro, op. cit., pág. 194.

[37] Boxer, C. R., *The Golden Age of Brazil*, pág. 249.

[38] Boxer, C. R., *The Golden Age of Brazil*, pág. 247.

[39] Villalobos R., Sergio, *Comercio y contrabando en el Río de la Plata y Chile*, Eudeba, 1986, Buenos Aires.

[40] Galmarini, Hugo. *Negocios y política en la época de Rivadavia*, Ed. Platero, Bs. As., 1974.

[41] Galmarini, Hugo, Comercio y Burocracia Colonial, *Separata de investigaciones y ensayos* No. 28, Academia Nacional de la Historia, Bs. As., 1980.

[42] Socolow, Susan. *The Merchants of Buenos Aires, 1778-1810*, Cambridge University Press, Londres, 1978.

[43] Segretti, Carlos E. A. *Temas de Historia Colonial*, Academia Nacional de la Historia, Bs. As., 1987, pág. 261.

[44] Socolow, Susan, op. cit., pág. 66.

[45] Torre Revello, José, *La sociedad colonial*, Ed. Pannedille, Bs. As., 1970, pág. 49.

[46] Segretti, Carlos E. A., op. cit., pág. 270.

[47] Shumway, Nicolás, *La Invención de la Argentina*, Emecé Editores, Buenos Aires, 1993, págs. 60 y 61.

[48] Di Tella, Torcuato, *Argentina: ¿Una Australia italiana?*, FLACSO, Buenos Aires, Mimeógrafo.

Índice

Composición láser: Noemí Falcone

Esta edición de 3.000 ejemplares
se terminó de imprimir en
Industria Gráfica del Libro, S.A.,
Warnes 2383, Buenos Aires
en el mes de noviembre de 1996.